Un esprit clair dans une prison de chair

Distribution: Messageries de presse Benjamin
101, rue Henry-Bessemer
Bois-des-Fillion (Québec) J6Z 4S9
450-621-8167

Benoît Duchesne

Un esprit clair dans une prison de chair

Propos recueillis et mis en texte
par Mireille Trégeau

LES ÉDITIONS LA SEMAINE
2050, rue de Bleury, bureau 500
Montréal (Québec) H3A 2J5

Éditeur : Claude J. Charron
Éditeur délégué : Claude Leclerc
Directrice du secteur édition de livres : Dominique Drouin
Directrice des éditions : Annie Tonneau
Directrice artistique : Lyne Préfontaine
Coordonnatrice aux éditions : Françoise Bouchard
Directeur des opérations : Réal Paiement
Superviseure de la production : Lisette Brodeur
Assistante de la production : Joanie Pellerin
Infographie : Marie-Josée Lessard
Scanneristes : Patrick Forgues, Éric Lépine

Mise en pages : Infographie DN
Réviseurs-correcteurs : Geneviève Mativat, Marie Théoret
Photo couverture : Pierre Dionne

Remerciements
Gouvernement du Québec — Programme du crédit d'impôt
pour l'édition de livres — Gestion SODEC.

L'Éditeur bénéficie du soutien de la Société de développement
des entreprises culturelles du Québec pour son programme d'édition.

Dépôt légal : Quatrième trimestre 2008
Bibliothèque et Archives nationales du Québec
Bibliothèque et Archives Canada
ISBN : 978-2-923501-76-5

LE CONTEXTE

Ce livre n'a pas été écrit à quatre mains, mais plutôt à deux mains et un pouce ! Ce précieux doigt est la seule partie encore mobile du corps paralysé de Benoît. À l'aide de son pouce et du battement de ses paupières, Benoît parvient à communiquer avec le monde extérieur et ce qui m'a permis d'avoir accès à ses mémoires. Notre rencontre a été le fruit d'un prodigieux « hasard », une fantaisie du destin qui a donné lieu à la rédaction de ce livre, un projet franchement ambitieux truffé de clins d'œil ! Curieusement, au moment où s'est présentée la proposition d'écrire ce bouquin, un pas maladroit et une mauvaise chute m'ont fait débouler dans une véritable tragédie grecque ! Résultat : une vertèbre dorsale fracturée. Une fêlure de la vie impossible à prévoir... Je ne saurais avoir l'indécence de comparer ma mauvaise fortune à celle de Benoît, emmuré vivant dans son propre corps après un accident vasculaire cérébral (AVC) foudroyant. Toutefois, mon séjour à l'hôpital m'a fait prendre conscience de la fragilité de l'être humain, et de sa force aussi... J'ai eu peur. Peur de voir ma mobilité réduite et de vivre avec des morceaux de mon corps endormis. Peur de la paralysie, cette réalité qui s'apparente au pire cauchemar. En contrepartie, j'ai bien vite réalisé que ma blessure était devenue un atout de taille pour rentrer de plain-pied dans l'univers de Benoît. Et c'est le corps engoncé dans un corset étriqué en métal que je m'y suis présentée...

Pénétrer le monde de Benoît, cet homme fabuleux, totalement paralysé, muet et doté d'un regard lucide et pénétrant ne laissant aucun doute sur la clarté de son esprit n'a pas été chose aisée. Lors de notre première rencontre, je ne savais trop comment m'y prendre pour arracher au silence quelques éclats de son mystère qui me dépassait. Comme beaucoup, j'ignorais la technique *politically correct* pour approcher une personne victime d'un si lourd handicap.

Discrètement, sur la pointe des pieds, j'ai tenté de m'immiscer sans effraction jusqu'au cœur de son histoire. J'ai commencé par l'observer par le « trou de la serrure », sans curiosité malsaine ni voyeurisme. J'ai pris le temps qu'il fallait pour trouver la clé au verrou qui allait ouvrir la porte entre moi-même et cet « autre si différent ». Aujourd'hui, entre Ben et moi, les murs sont tombés car j'ai bel et bien fini par dégoter le passe-partout menant à un espace commun où j'ai compris à quel point nous nous ressemblions malgré nos différences. Je me suis alors retrouvée dans un état fusionnel et, depuis, la lumière entre à flots entre Benoît et moi.

Grâce à Ben, jamais plus je n'aurai le vertige devant le spectre de la diversité humaine et de l'infirmité. C'est une sacrée leçon de vie et je lui dois une de mes plus belles expériences.

Ce livre n'est pas une autobiographie au sens habituel du terme. Il se contente de livrer des pans du parcours de Benoît, comme autant de petits clips permettant de mieux cerner cet homme hors du commun. Il importe de le suivre avant et après son AVC pour saisir d'où lui viennent sa force tranquille et sa capacité de traverser l'intolérable. À grands coups d'efforts, Benoît *s'est brûlé le pouce* comme il dit ! Il m'a dicté le contenu de ce livre dans ses grandes lignes et j'ai fait le reste en explorant à fond l'art de se mettre dans la peau de l'autre...

D'emblée, il m'a prévenue : « Mireille, c'est toi la "profonde", moi, je ne suis que le "p'tit gars malchanceux"... Cette combinaison devrait faire un livre. »

Mission accomplie, mon bel ami !

Mireille Frégeau

AVANT-PROPOS

Incroyable ! Voilà ce livre écrit ! D'une traite, sur les chapeaux de roues, de roues de fauteuil roulant, en plus ! Une histoire avec un début et une fin... Et ma traversée du désert entre les deux. Un « récit-émotions » qui va et qui vient entre mes doutes et mes angoisses, mais aussi mes joies et mes espoirs. Un carnet qui, je l'espère, va en aider d'autres à s'adapter pour survivre et, mieux encore, à vivre pleinement malgré une épreuve foudroyante.

Pourquoi ce livre ? Pour deux raisons majeures. D'abord, je veux soutenir l'Organisme Ben Duchesne (OBD) qui aide des personnes victimes du *locked-in syndrome* (LIS) à vivre dans leur foyer. Bref, du même coup, j'espère me venir en aide à moi-même afin de continuer à demeurer chez moi et ainsi, ô bonheur !, côtoyer mon fils dans une atmosphère plus chaleureuse et conviviale que celle offerte en institution. Ensuite, je veux partager mon expérience avec le plus de gens possible et leur livrer ma nature profonde, à l'intérieur de ma prison de chair. Si cet ouvrage peut éclairer le regard porté sur les lourds handicapés, tant mieux ! Ça donne un sens supplémentaire à cette vie singulière qui est mienne.

Je remercie toutes les personnes qui ont participé au projet en répondant à des interviews : les accompagnatrices Natacha, Saranda, Sylvie, mon ex-conjointe Anne Garneau (qui m'a permis de devenir assez autonome pour vivre à domicile), mon fils bien-aimé Frédérique, mes indispensables amis André, Lise et Ati, mes ex-beaux-parents dévoués Lucette et

Roger Garneau, mes parents Cécile Gougeon et Bernard Duchesne, ainsi que mes frères Denis et Sylvain.

Je tiens également à remercier spécialement mon amie Sonia Maltais, ma sœur Johanne Duchesne, Dominique Drouin (directrice du secteur livres chez Charron Éditeur, inc.), sans oublier la Dre Nicole Beaudoin et l'équipe de l'Institut de réadaptation de Montréal, qui accomplissent un travail remarquable – vos encouragements n'ont pas été vains ! Je désire aussi témoigner de ma reconnaissance envers tous les donateurs et bénévoles de l'OBD qui me permettent de vivre mon rêve, autrement dit de vivre comme je l'entends, autant que faire se peut. Merci également à Lydia Brown qui m'a conseillé sur le plan juridique.

Enfin, je réserve un merci particulier à la journaliste Mireille Frégeau qui a rédigé ce livre. En l'espace de trois mois, elle a réussi à percer ma muraille et mes secrets, à scanner « ma boîte noire », comme elle dit. Son professionnalisme, son flair et sa sensibilité exceptionnelle ont saisi mes émotions avec brio. Elle a su, je ne sais par quel mystère, les interpréter avec justesse dans un style qui m'a séduit. Plus souvent qu'autrement, elle m'a deviné et a rendu ce récit possible.

Bonne immersion à tous dans le monde étrange du LIS qui, vous le verrez, n'est pas si éloigné du vôtre... En ce sens que rien ne ressemble davantage à un être humain qu'un autre être humain.

LE SYNDROME DE VERROUILLAGE

Qu'est-ce donc ?

Le terme *locked-in syndrome (LIS)*, ou « syndrome de verrouillage », est apparu pour la première fois dans la littérature médicale en 1966. Toutefois, dès 1844, dans *Le Comte de Monte-Cristo,* on retrouve un personnage décrit comme étant « un cadavre avec des yeux vivants ». D'ailleurs, voici un extrait très éloquent du texte d'Alexandre Dumas :

« M. Noirtier, assis dans son grand fauteuil à roulettes, où on le plaçait le matin et d'où on le tirait le soir, assis devant une glace qui réfléchissait tout l'appartement et lui permettait de voir, sans même tenter un mouvement devenu impossible, qui entrait dans sa chambre, qui en sortait, et ce qu'on faisait tout autour de lui [...] M. Noirtier, immobile comme un cadavre, regardait avec des yeux intelligents et vifs ses enfants, dont la cérémonieuse révérence lui annonçait quelque démarche officielle inattendue. La vue et l'ouïe étaient les deux seuls sens qui animassent encore, comme deux étincelles, cette matière humaine déjà aux trois quarts façonnée pour la tombe ; encore, de ces deux sens, un seul pouvait-il révéler au-dehors la vie intérieure qui animait la statue : et le regard qui dénonçait cette vie intérieure était semblable à une de ces lumières lointaines qui, durant la nuit, apprennent au voyageur perdu dans un désert qu'il y a encore un être existant qui veille dans ce silence et cette obscurité. »

Le Compte de Monte-Cristo, Alexandre Dumas, Michel Lévy Freses, Libraires-Éditeurs, 1861, 1-2 pp.

Assurément, le célèbre auteur a voulu faire le protrait d'une personne victime du syndrome de verrouillage. Cet état neurologique – très rare – dû à un accident vasculaire cérébral est celui des personnes entièrement paralysées des quatre membres et dépourvues de la capacité de parler. En théorie, seul le clignement des paupières reste possible, mais je suis encore capable de bouger mon pouce droit. Cette abomination affecte des patients tout à fait lucides, parfaitement conscients de leur corps. Leurs facultés intellectuelles sont intactes, incontestablement normales. Il est difficile d'envisager un handicap plus cruel. Imaginez-vous être éveillé, mais « enfermé » en vous-même... On ignore la cause précise de mon accident vasculaire cérébral. Je n'étais pas usé par des années de stress ou d'abus de toutes sortes. Au contraire, j'étais un homme dans la force de l'âge, particulièrement sportif et en grande forme.

Quelques victimes du syndrome de verrouillage ont ouvert la voie et écrit sur le sujet. Parmi les plus connues il y a, bien sûr, le journaliste Jean-Dominique Bauby, auteur de l'excellent livre intitulé *Le Scaphandre et le Papillon*, à la suite duquel on a tourné le film éponyme. Philippe Vigand, quant à lui, a écrit *Putain de silence* et Julia Tavalaro est devenue poète. Son cas est d'ailleurs très particulier. En 1966, elle tombait dans le coma, à l'âge de 32 ans. Après plus de six mois, elle en sortait enfin mais, comme elle était toujours immobile, le personnel médical l'appelait couramment « le légume ». Sept ans plus tard, un membre de sa famille s'est aperçu que, malgré son silence, il y avait une conscience dans le corps de Julia. Devant elle, un de ses proches avait fait une blague et Julia y avait répondu avec une ébauche de sourire. Ainsi, durant toutes ces années, Julia avait été garée dans la division des patients dits végétatifs alors qu'elle était pleinement lucide. Qui peut imaginer pareille solitude ? Son exemple illustre à merveille l'exclusion dont ont longtemps été victimes des patients considérés comme « absents » d'esprit.

Le syndrome de verrouillage est une séquelle liée à un petit blocage d'une artère logée dans la partie du tronc cérébral qui relie l'ensemble des voies motrices du corps. Cette partie – la protubérance – est un endroit très spécifique où toutes les fibres qui partent des cellules motrices se rejoignent. Si un accident se produit dans cette région, c'en est fait de votre mobilité. Votre corps subit alors une sorte de perte de repères identitaires dans tout ce qui a trait au mouvement. Une minuscule étincelle déclenche un incendie dévastateur. En clair, la maison mère, le disque dur, le vaisseau amiral, *name it*, sont complètement bousillés.

Ce livre n'est pas un traité médical sur le *locked-in syndrome*, la littérature scientifique sur le sujet étant abondante. C'est plutôt ma façon d'unir ma voix à celles des autres victimes du LIS et d'expliquer à quoi ça ressemble de vivre dans une bulle hermétique, dans une prison de chair. Bien que, dans mon corps figé, seuls mes yeux et l'un de mes pouces aient conservé la capacité de bouger, à l'intérieur de moi ça crie, ça chante, ça vit... Il m'importe donc d'en témoigner et de bien faire comprendre que le verrouillage n'est pas l'endormissement !

A priori, explorer le LIS est un voyage en territoire hostile, en plein cauchemar surréaliste. Plus souvent qu'autrement, je me sens comme un cerveau dans un bocal oublié sur la tablette d'un laboratoire. Il n'empêche que, depuis huit ans, j'essaie de bonifier ma qualité de vie et c'est ce parcours que je vous offre en lecture. Ce n'est qu'un saut de puce à travers le monde du lourd handicap, mais puisse ce bond favoriser une meilleure compréhension de la différence et répondre à cette question : y a-t-il une vie après une épreuve de cette taille ?

« La vie, c'est ce qui t'arrive
pendant que tu fais des projets. »

John Lennon

MON BOGUE DE L'AN 2000

Ça s'est passé l'année où le monde avait retenu son souffle. L'année où les oiseaux de malheur et prédicateurs d'apocalypse n'en finissaient plus d'alimenter les peurs des populations et où les pires scénarios catastrophe étaient avancés. Les systèmes de communication, l'électricité et l'eau seraient coupés, les hôpitaux et les systèmes de défense paralysés, les feux de circulation et la vie au quotidien hors service... Ça s'est passé la fameuse année du bogue de l'an 2000, où, dans un gigantesque *brrr!* collectif, tout le système planétaire devait péter les plombs. Finalement, rien ne s'est produit. Aucun appareil n'a bronché et le bonhomme Sept heures s'est évanoui dans la nature, avec son *p'tit* malheur sous le bras.

Rien ne s'est passé? En gros, en général, collectivement, informatiquement: non, rien... Sauf que pour moi, et pour d'autres aussi, il en a été bien autrement. Un accident s'est produit quelque part dans mon cerveau et a semé le chaos de manière foudroyante dans mon ordinateur central sans que rien ni personne puisse empêcher le verrouillage complet de mes membres. Je venais d'avoir 43 ans quand ma vie a basculé. Et bien sûr, rien ne m'avait préparé à ça... à vivre emprisonné dans mon corps, emmuré en moi-même, victime du syndrome de verrouillage, mieux connu sous le nom du *locked-in syndrome*. J'étais désormais marqué au fer rouge par l'abréviation, en lettres écarlates: LIS.

TI-JAUNE

Je suis né le 17 août 1957, notamment la même année que Caroline de Monaco, Christophe Lambert, Michelle Pfeiffer, Oussama Ben Laden, Gaston Lagaffe et le frisbee! L'année où Dalida chantait *Bambino*: « Tu n'es plus que l'ombre de toi-même » et où Brel scandait: « Quand on n'a que l'amour... À offrir à ceux-là dont l'unique combat est de chercher le jour... » Des paroles qui, aujourd'hui, me semblent prophétiques...

Je suis de la génération qui a eu le bénéfice d'entendre ses parents et grands-parents témoigner des infortunes et des déboires qu'ils avaient vécus durant la Grande Dépression, les deux guerres mondiales et les années de vaches maigres qui ont suivi. C'était le temps où on « achetait » des petits Chinois à l'école, où le premier homme marchait enfin sur la Lune. C'était juste avant que le pays ne s'ouvre sur le monde grâce à l'Expo 67 et que le Québec ne vive certaines de ses plus grandes crises identitaires. L'action et les mouvements sociaux étaient maîtres. Ça fait de moi un de ces fameux baby-boomers, un de ces soi-disant privilégiés, voire pourris gâtés par la vie! Pourtant, je n'ai rien du stéréotype du grand voyageur de par le monde qui vit bien au-dessus de ses pompes sur un mode baba cool, un cigarillo au bec en faisant du trekking sur le mont Kenya, tout ça après s'être payé un *mégaparty* qui a bousillé la planète! Cela dit, bien sûr, j'ai bénéficié d'une retraite anticipée, mais bien malgré moi. Ça n'a pas été de soi, je mettais tout mon cœur à l'ouvrage en plus de veiller sur ma progéniture et j'aurais aimé m'occuper de mes parents vieillissants...

Je suis venu au monde à Drummondville, la cible préférée du feu magazine humoristique *CROC*. C'était l'époque dorée des bungalows, ce modèle de maison construit en abondante quantité. Nous en habitions un en bordure de la rivière Saint-François, juste de l'autre bord de Drummond. À cette époque, la route qui y menait consistait en deux *tracks* de sable avec du gazon au milieu ! Mes parents y vivent toujours, l'endroit est enchanteur... J'y retourne de temps en temps.

Mon surnom était Ti-Jaune, à cause de mon allure *beach bum.* Autrement dit, j'étais très blond et bronzé. J'ai grandi auprès de petits animaux : des chiens, des chats, des lapins, des canards, des poules et même une chèvre prénommée Lili. D'ailleurs, ma mère, une passionnée des bêtes, laissait parfois rentrer Lili dans la maison et lui mettait des couches ! J'y pense... J'ai toujours trouvé ma mère « hyperprotectrice » et eu l'impression d'avoir passé tout mon âge tendre avec un fil à la patte, à la manière d'une bestiole que l'on craint de perdre. Bah ! L'amour inconditionnel, parfois excessif d'une mère, pour moi, ça reste un mystère.

Pour en revenir à nos animaux, mon favori a été sans nul doute Mandibule, le canard. Ce beau caneton était à moi ! Au retour de l'école, dès que je mettais le pied dans la cour, Mandibule s'amenait en faisant un inoubliable chahut : nos retrouvailles étaient toujours grandioses ! Je n'avais qu'à me pencher vers lui pour qu'il se mette à me pincer la peau du cou. Un jour, ma grand-mère a décidé qu'il était grand temps de bouffer Mandibule. Aïe ! Les gens réunis autour de la table faisaient des têtes d'enterrement et mémé a été la seule à se régaler.

Oui, les animaux ont fait la joie de mon enfance, autant de fidèles compagnons de jeux, de complices et de confidents à qui je racontais tout. Peut-être ai-je vécu là un apprentissage, une première expérience pratique de la communication non verbale. En effet, un enfant apprend rapidement à communiquer avec son animal domestique. Avec le temps, il en vient à décoder la signification des différents jappements et miaulements, des postures et, surtout, des diverses expressions du regard de son compagnon. Et justement, à présent, ce sont mes yeux, mes regards, qui en disent long... Il est bien possible que les personnes ayant été en relation de près avec les animaux arrivent à mieux lire en moi. Je ne sais pas... peut-être.

Aujourd'hui, je vis toujours avec ma chienne Cléo, une belle golden retriever âgée de 14 ans.

Dans ma petite enfance, j'ai connu la maladie. Vers l'âge de trois ans, mes parents, au retour d'une soirée, m'ont trouvé en piteux état. Ma mère prétend même que je semblais être dans le coma. À l'hôpital, j'ai passé bien des tests, mais aucun n'expliquait mon malaise. Depuis, ma mère a élaboré sa propre hypothèse. Comme elle était alors propriétaire d'un salon de coiffure, elle croit que j'ai échappé à la vigilance de ma gardienne pour absorber un produit toxique de coiffure. Cela reste à prouver. Quoiqu'il en soit, les médecins de l'hôpital Sainte-Croix, un peu dépassés, ont proposé de me transférer à Sainte-Justine, à Montréal. Ma mère avait aussitôt rétorqué : « Il n'en est pas question ! Il reste avec nous. S'il doit vivre, il vivra, ici... »

Une chose est sûre, cet incident n'a rien à voir avec l'accident vasculaire cérébral dont j'ai été victime beaucoup plus tard.

À l'hôpital, il y avait une affiche où il était inscrit : « C'est agréable d'être important, mais c'est encore plus important d'être agréable. » Ça m'avait frappé. Après presque un demi-siècle, je m'en souviens comme si c'était hier ! Le jeu de mots avec « important » et « agréable » avait retenu mon attention. Cette expression a pris tout son sens beaucoup plus tard. Actuellement, elle traduit fidèlement l'un de mes principes. Et il n'y a pas que ma mère qui croit que je suis une personne agréable. C'est rassurant !

Bref, gamin, à la suite de ce premier contact avec un dérèglement de mon corps, je me suis remis sur pied et j'ai repris ma vie de *p'tit gars* enjoué auprès de mes deux frères, Denis et Sylvain, et de ma sœur, Johanne. Chez nous, il y en avait pour tous les goûts : piscine, trampoline, motoneiges, vélos, motos de sentiers, hockey, handball, volleyball et même vélos de montagne bien avant qu'on l'invente. Bref, ça grouillait de vie ! La dextérité avec les billes remplaçait celle des jeux Nintendo et rien ne pouvait laisser présager que les activités au grand air seraient, un jour, détrônées par des stations informatiques.

Toutes les enfances ont leur parfum particulier. La mienne a l'odeur sucrée des fraises d'un voisin, monsieur Romaneski, qui cultivait ce petit fruit rouge dont je raffolais... J'étais un enfant heureux, profitant des bonheurs simples et issu d'une bonne famille. D'un pas assuré, je m'apprêtais à entrer dans la cour des grands.

LES SEVENTIES

Enfant dans les années 1960 et adolescent dans les années 1970, je suis un jeune qui surfe sur la queue de la comète des grands bouleversements de la décennie précédente, où le fameux « Il est interdit d'interdire » a pour toujours changé la donne dans tous les domaines. Les tendances *beatnick* et *flower power*, la contre-culture et le *new look* ont ouvert la porte sur des espaces effervescents et je n'ai qu'une envie, celle de m'extirper du giron familial loin des sentiers battus par papa-maman. Et il est temps !

Il faut se remettre dans le contexte d'un Québec rural des années soixante sous l'influence d'un clergé omniprésent. À cette époque, si on est chanceux, et je le suis, nos parents font le tri : « Ça, tu peux le faire et cela, il n'en est pas question !

— Euh... Et pourquoi donc ?

— Parce que c'est comme ça, c'est tout ! »

Ma relation avec ma mère est un peu conflictuelle car son amour surprotecteur m'étouffe. Très tôt dans l'adolescence, je me sens comme un chien attaché à sa niche, un oiseau en cage, un ours enchaîné, un tigre en laisse ! Je manque d'air et le fait que le nid familial soit doré et confortable n'y change rien. Je me rebelle – dans ma tête – en donnant des coups de pied imaginaires et personne ne se rend compte que ça bout en dedans. Tous croient que je suis toujours le jeunot « Roger-bon-temps » disant immanquablement « oui », le gars qui s'adapte à tout et qui semble fait d'un matériau d'une malléabilité stupéfiante.

Avec mon père, il y a aussi un fossé. Je sais, je sens bien qu'il m'aime, mais comme beaucoup d'hommes de sa génération, il est effacé et distant, et nous n'arrivons pas à être vraiment proches. Il nous démontre son affection en nous achetant une panoplie de bébelles, c'est sa manière d'exprimer son attachement. Boum ! Un nouveau joujou souvent hors de prix atterrit dans la cour ! Fier de son coup, il sourit et replonge vite fait le nez dans son journal. En bout de ligne, je le connais peu et nous éprouvons toujours une certaine gêne réciproque.

En revanche, je suis très proche de ma sœur, Johanne. C'est mon idole ! Ma grande sœur belle comme le jour et brillante comme une étoile ! Pas juste splendide à l'extérieur, mais à l'intérieur également. Aujourd'hui encore, à sa façon, elle veille sur moi. J'ai seulement 12 ans quand elle part étudier et vivre à Sherbrooke ; son départ crée un vide dans ma jeune vie. Mon frère Denis, quant à lui, est mon *buddy*, mon compagnon de jeux et d'aventures. Il y a juste une ombre au tableau : je suis davantage espiègle et Denis se donne le rôle de délateur. À cause de lui, mes coups pendables ne passent pas inaperçus ! Je lui attribue le sobriquet de *stool*. Et, finalement, mon « p'tit frère » Sylvain est le cadet fort attachant de la maisonnée. Toutefois, une décennie nous sépare et nous nous connaissons mal. Sylvain est toujours convaincu que si j'avais poursuivi ma vie de musicien, je n'aurais pas subi mon AVC.

Ma première guitare

J'ai 12 ans... À la maison, mes parents écoutent des chanteurs francophones québécois et français. De mon côté, je me branche sur les groupes anglais et américains : leur musique devient une révélation. J'en mange !

L'année suivante, je demande à mes parents ma première guitare. Je me revois encore entrer solennellement dans leur chambre. C'est le soir. La lampe de la table de chevet diffuse une lumière tamisée, une cigarette brûle entre les doigts de ma mère. Elle n'en fume que trois par jour en gardant ces précieux moments pour le soir, c'est sa petite gâterie, sa petite récompense après avoir bossé et pris soin de nous toute la journée. Mon désir de m'étourdir, de m'évader, vient peut-être de là ! Bref, j'obtiens ce que je veux. Je vais enfin pouvoir partager le plaisir que semblent ressentir les musiciens et, comme je suis timide avec les filles, j'espère qu'être un rockeur m'ouvrira leurs portes. Quel passeport !

J'évolue donc comme tous les autres ados de l'époque. À moi les foulards en batik, les cols Mao, les pattes d'éléphant, les jeans moulants et le patchouli ! Je vibre et m'éclate sur les airs des *groupes* mythiques tels que Deep Purple, Pink Floyd, King Crimson, Gentle Giant, Genesis, Tangerine Dream, Led Zeppelin, Emerson, Lake and Palmer, Yes et Bowie. Le psychédélique, le rythm and blues, le rock et le pop résonnent partout : le monde est à nous ! La faune humaine est bigarrée, tout le monde parle à tout le monde, on fait de l'auto-stop sans se méfier, on manifeste pour un oui ou pour un non et, la guitare dans le dos, on squatte les sous-sols des amis. Le leitmotiv : triper ! Faire l'amour n'est pas encore un danger mortel et les consignes de sécurité sur les routes sont élastiques : on n'attache pas les ceintures de sécurité dans les voitures et les motocyclistes autant que les cyclistes boudent les casques protecteurs.

Quelle période extraordinaire ! Quiconque l'a vécue sait de quoi je parle. C'est le temps de toutes les audaces ! La vie est un immense laboratoire qui ne demande qu'à servir à de nouvelles expériences afin de faciliter la découverte de soi et l'ouverture sur le monde. Et les filles sont belles ! Oh ! qu'elles sont belles... Avec leurs petits papillons dessinés sur la joue, leurs interminables chevelures, leurs robes indiennes, leurs *jumpsuits* ou leurs jeans à taille basse : elles sont craquantes !

Sans doute est-ce dans la tête de cette insouciante génération que germe l'idée de vieillir autrement, c'est-à-dire le moins possible pour garder le vent dans les voiles jusqu'au dernier souffle. C'est d'ailleurs au cours de cette décennie que le psychanalyste Tony Anatrella invente le terme « adulescent », contraction des mots « adolescent » et « adulte ». J'avoue en avoir été un jusqu'à l'âge de 27 ans.

En même temps, nous étions bien loin de la « génération Tanguy », car nous fantasmions pour la plupart sur le jour de notre majorité, coup d'envoi pour « lever les feutres » et s'envoler du nid familial.

Drôle d'époque ! Tout va vite, mais sur le mode baba cool. Les mouvements sociaux et les styles de toutes sortes se succèdent dans une créativité hors du commun. Il n'empêche, avec le recul, ils sont nombreux à dire de cette période qu'elle était « plutôt kitsch, finalement ». Moi, je la revivrais n'importe quand ! Surtout l'année 1975...

1975

Un jour de printemps, lors de mes 17 ans, par une belle journée ensoleillée, du genre de celles qui donnent le goût de faire l'école buissonnière, je jase dans la cour de récréation avec mon ami Alain Blanchette. Il me raconte qu'une gang du cégep a dégoté un contrat dans les Laurentides pour jouer de la musique durant tout l'été. De fil en aiguille, je me joins au groupe ! Pour la première fois de ma vie, *Liberté, j'écris ton nom* en lettres d'or, en rouge, en majuscules monumentales ! Cet été-là est une véritable bacchanale ! Je découvre le plaisir de vivre en bande, « lâché lousse » dans une totale errance créative et un laisser-aller désinvolte qui me laisse une entière marge de manœuvre. Une insouciance totale... Je suis bougrement heureux !

Souvent, lorsque je m'évade, encore aujourd'hui, c'est vers l'été de mes 17 ans que mon esprit migre... À tout coup, cette fugue s'apparente à une grosse gorgée d'eau bien fraîche, de celles qui vous font jouir sous un soleil de plomb. De fait, je donnerais tout pour toucher au bonheur de le revivre.

À partir de là, je vais étudier en musique et faire mille et un petits boulots jusqu'à la fin de la vingtaine. Puis, je deviendrai un homme !

FOU DU SPORT

Depuis tout petit, le sport, a été ma soupape, mon système de ventilation. Un univers simple où l'on joue franc-jeu en visant le dépassement de soi. La montée d'adréline qui en résulte est ma potion magique. Une montée de carburant qui ne s'arrête plus. Je suis un peu médusé de voir tant de jeunes avec des corps mal foutus, mous et potelés, qui accusent déjà l'usure du temps. J'aurais envie de leur crier: « Bougez ! Mais bougez donc ! » Comment passer à côté du plaisir de bouger ?... Il faut bien l'avoir définitivement perdu pour l'apprécier à sa juste valeur.

À bien y penser, il est fort possible que mon long entraînement sportif, qui m'a appris à sonder et à bien puiser toutes mes énergies cachées au plus profond de moi, dans une région téméraire et pleine de vitalité, m'ait servi à relever les défis qui m'attendaient. Le dépassement de soi est le résultat d'un effort sur soi-même, et ça, je connaissais. Depuis toujours.

Avant mon accident, me pousser jusqu'au bout, même au-delà de la peur, apercevoir le clignotant rouge – danger ! – scintiller en guise d'avertissement: ça m'excite ! Mon mot d'ordre: interdit d'hésiter. En me regardant aller, certains se demandent: « Sapristi ! Que veut-il prouver ? » Je veux gagner ! Dopé par ma propre énergie, je veux juste relever les défis que je me lance. Être au *top du top* de mon podium personnel. Des défis, je m'en lance effectivement beaucoup en n'y croyant pas moi-même, mais je joue le jeu, et je réussis ! Ceci dit, je ne vis pas en fonction du regard des autres. Celui que je porte sur moi-même suffit amplement ! On oublie souvent l'importance de son propre pouvoir de séduction sur soi-même...

J'aime la vitesse ! Appuyer à fond sur l'accélérateur d'un bolide ou sur une pédale de vélo, ça me grise. Un des moments les plus mémorables de ma vie a été la descente à tombeau ouvert du mont Tremblant à vélo. J'ai même aimé la douleur de l'effort physique et celle, accidentelle, d'une cuisante brûlure consécutive à une fouille mémorable. De là à pousser aussi mon fauteuil roulant à ses pleines capacités, il n'y avait qu'un pas que j'ai franchi allègrement !

Maintenant que je ne peux plus bouger d'un seul pouce par moi-même, sauf celui d'une de mes mains ainsi que mes paupières, je ne saurais donner meilleur conseil : bougez ! Bougez, bougez, bougez... C'est tellement bon !

ANNE, MON AMOUR

Quand tu dis à quelqu'un « Je t'aime », rien n'est plus pareil... Et je suis un grand amoureux, un affamé d'amour ! Dissimulé sous la fenêtre de sa Juliette, j'ai été Roméo s'extasiant devant sa bien-aimée.

Anne et moi nous sommes rencontrés en 1989 chez des amis communs, dans ce bon vieux temps où les célibataires pouvaient compter sur les proches pour se faire présenter l'homme ou la femme de leur vie ! Elle m'a gratifié d'un coup de foudre tandis que les choses ont été plus graduelles de mon côté. Il faut dire que je sortais à peine d'une relation houleuse qui avait duré quatre ans. Malgré ma retenue, j'ai été ébloui par son sourire radieux et chaudement enveloppant. Nous avons passé la journée ensemble à échanger, à rigoler, incapables de se quitter des yeux, et à boire chaque mot, chaque soupir exprimé par l'autre... Qu'est-ce qu'elle a mis de la brume dans mes lunettes, la belle Anne ! À son retour au domicile de ses parents, elle s'est exclamée, radieuse : « J'ai rencontré mon futur mari ! » Un match parfait venait d'être créé...

Rapidement, on se met à avancer au même rythme et, surtout, on regarde dans la même direction. Tous les deux passionnés de plein air, de randonnées, de vélo, de ski, de camping, alouette !

« Ça te dirait, Anne, de faire une expédition de trekking sur mon cœur ?

— N'importe quand !

— C'est vrai ?

— Ouais ! »

Tout naturellement, nous avons opté pour un pied-à-terre dans les Laurentides, aux premières loges de tout ce que l'on aime. On a en bien profité de ce bain de nature !

Du coup, avec elle, je cesse de papillonner. Les autres ne m'intéressent plus. Don Juan accroche ses patins et j'ai enfin trouvé la femme de ma vie. Je deviens un modèle de fidélité, non pas grâce à une promesse envers elle, mais plutôt envers moi-même. C'est une décision. L'exclusivité donne de l'importance, de la valeur et de la saveur à ma relation. De toute façon, une chose est sûre, les sentiments de honte et de trahison, les remords ou les regrets ne sont pas ma tasse de thé et ne l'ont jamais été. Avec elle, je vis l'amour avec une belle légèreté tout en le prenant très au sérieux. Un amoureux heureux !

Nos cœurs et nos corps à l'unisson ont emménagé ensemble et Anne a eu la brillante idée d'ouvrir une garderie en milieu familial. À cette époque, tout notre réseau d'amis se constitue à partir de *La Garnouille* ! Anne garde en moyenne six enfants. Comme elle est infiniment sympathique, les parents des bambins finissent toujours par graviter tout naturellement autour d'elle. Les adultes fraternisent à l'entour de cette joyeuse marmaille. Que de vie et de rires d'enfants dans cette maison ! Sacrés marmots, ils ne changeront jamais ! Durant ces années, ils transforment notre demeure en un royaume animé de jeux, de courses, de parties de plaisir ! Ces jours-là sont gravés à jamais dans ma mémoire... Qui sait si, grâce à eux, je n'ai pas fait une consistante provision d'énergie et de bonne humeur...

Au même moment, je travaille beaucoup. Beaucoup ! Je suis coactionnaire de l'entreprise Tendance-Concept, située à Saint-Jérôme. Un entrepreneur. Un vrai ! Je mets un temps fou à développer notre commerce, car après mes années bohémiennes de musicien, je me suis découvert un goût prononcé pour les affaires. Parce que je veux réussir, je ne compte pas les heures. Anne le comprend bien, elle connaît ! Son père est issu de la même argile... Elle me laisse libre de mener mes affaires comme je l'entends, le respect ayant toujours été la base même de notre relation. Il n'empêche que je suis très absent. De plus, je dois souvent rénover notre maison durant mes temps libres. Étant donné le peu de temps dont je dispose, Anne se convainc que nous n'aurons qu'un seul enfant.

Il n'empêche, la qualité y est ! Au programme il y a beaucoup de sorties avec les amis, bien sûr, mais aussi des escapades en amoureux. Et nos regards en disent long, tellement que nous faisons des envieux. Pour plusieurs, nous sommes un modèle de l'union conjugale ! Et nous en sommes fiers ! Ni querelles de ménage ni dérapages verbaux n'assombrissent notre belle histoire. Notre amour est fort, grand comme une montagne et il va en déplacer quelques-unes d'ailleurs.

Durant toute notre vie commune, Anne est prête à me suivre n'importe où. Un rêve dans ce coin-là ? Parfait ! Un autre là-bas ? Pas de problème. Prête à tout tellement elle m'aime. Du reste, on parle souvent de déménager à Las Vegas ou à Kelowna, dans la vallée de l'Okanagan, dans l'Ouest canadien. Pour faire du *business,* j'ai envie d'une ville plus dynamique. Et ma belle Anne, ma complice, mon *team,* est toujours partante pour m'emboîter le pas dans la conquête de mes rêves. Ma belle Anne à qui je dois tant !

La connaître me fait pousser des ailes. Malheureusement, ces ailes devaient finir par brusquement se froisser. L'aigle finira par avoir les ailes brisées : je serai touché en plein vol. Anne et moi nous quitterons sept ans plus tard.

Au moment de notre rupture, j'ignore comment les hautes cimes pourront être de nouveau accessibles.

Notre voyage amoureux aura duré 16 ans et 273 jours...

LES DERNIERS JOURS, DEBOUT...

L'été de l'an 2000 est comme la finale d'un grand feu d'artifice alors qu'explosent les plus beaux pétards ! À ce moment-là, j'ignore encore que je signe le dernier chapitre de ma vie normale et *basic.* Aucun symptôme ne laisse présager que je suis sur le point de vivre l'effritement de tous mes rêves, que la volupté que je ressens d'être au summum de mes capacités va bientôt disparaître En clair, je suis loin de me douter que le temps de l'innocence achève.

C'est mon anniversaire. Je souffle mes 43 bougies et il y a de la magie dans l'air...

Dans tous les domaines de ma vie – santé, amour et travail – je connais l'ivresse d'être au sommet. Et là, plus que jamais, j'y suis ! Depuis deux semaines, Anne, Frédérique, notre fils, et moi, ainsi qu'un couple d'amis et leurs deux jeunes enfants, sommes joyeusement réunis au *Two Jack Lake campground* à Banff, dans l'Ouest canadien. Je suis heureux, il y a encore tellement d'horizons à explorer !

Et la nature dans ce qu'elle a de plus beau tient ses promesses ! Des vacances de rêve ! Rien n'y manque : ni l'atmosphère époustouflante des terres boréales riches de lacs, de rivières et de ruisseaux qui les sillonnent, ni la foisonnante variété d'espèces animales et végétales – un immense pot de fleurs sauvages – qui les habitent. Des forêts de pins, d'épinettes, de sapins, de trembles et de bouleaux à perte de vue et traversées de grands réseaux fluviaux, de champs de glace et de bras de mer. Le vert émeraude et le bleu se conjuguent dans un fondu digne des plus grands maîtres de la peinture ! Une bonne partie de l'écosystème boréal est encore vierge. Que c'est beau ! Plus de 3 000 espèces de plantes et plus de 850 espèces de vertébrés sont dénombrées dans les parcs nationaux du pays, et plus de la moitié des oiseaux chanteurs du continent continuent d'y nicher. Parmi les bêtes sauvages les plus spectaculaires qui y vivent, il y a le grizzli et l'ours noir, le loup, le wapiti, l'orignal, le lynx, le cerf, le mouflon d'Amérique et la chèvre de montagne.

La vie y est flamboyante. Anne et moi sommes depuis lontemps interpellés par la nature sauvage et nous tentons d'y sensibiliser Fred. Ce n'est pas difficile ! Il est fou de ces escapades dans les grands espaces insoumis. Tous, nous vivons des moments sublimes. Notre bande me fait penser à une joyeuse meute de loups et de louveteaux s'en mettant plein la vue ! Que de mémorables souvenirs à déposer dans notre baluchon...

C'est assez rustique notre affaire ! On n'est pas du genre famille tout équipée *high tech* à la Canadian Tire ! Plus que nulle part ailleurs, je me sens dans mon élément et l'homme des bois que je suis s'éclate royalement ! Le vieux singe en moi aimerait sauter d'une branche à l'autre, à défaut de quoi j'enfourche mon vélo et je dévale les sentiers. La vie est belle ! Franchement belle.

D'ailleurs, pour mon anniversaire, Anne m'a offert un chandail et des gants de cycliste, alors qu'André et Chantal m'ont donné une cravate ornée de petits cyclistes. C'est gentil, les amis ! Hélas, au moment où je dévale les pentes, j'ignore encore que je ne pourrai jamais les porter...

Pas loin de notre campement, il y a une famille de grizzlis. Nous les avons aperçus de loin. Chaque matin, les

Montréal. J'ai l'allure d'Indiana Jones : barbe hirsute, cheveux en broussaille et vêtements fripés de la veille sur le dos. Vivement qu'on arrive chez nous et qu'on enlève ces fichues bottes de marche qui commencent à peser lourd.

Petite parenthèse ici, mon cerveau est avare de souvenirs quant à ces heures-là. Je me revois vaguement discutant avec un témoin de Jéhovah à l'aéroport de Winnipeg. Les religions ne sont pas ma tasse de thé, loin de là ! Mon opium à moi, c'est ma famille, le sport, la nature et le travail. Le reste... Bref, ce témoin me pose des tas de questions... « D'où arrivez-vous ? Où allez-vous ? Pour faire quoi ? » C'est bien simple, il me pose presque autant de questions que mon actuelle biographe ! Cela dit, il ne m'annonce ni guerres, ni séismes, ni famines, ni pestes et encore moins « la bonne nouvelle » ni la mauvaise d'ailleurs, celle qui m'attend maintenant dans un peu moins de 24 heures.

À chaque étape, nous nous rapprochons de notre destination finale. Il est 18 h le samedi 19 août lorsque enfin notre avion se pose à Montréal. Au pas de course, je jogge jusqu'à ma camionnette. Nous y entrons les bagages et nous prenons la direction de Sainte-Anne-des-Lacs. La journée du lendemain est chargée, car nous devons nous rendre à Drummondville, où mon frère Denis a préparé une grosse fête à l'occasion du quarantième anniversaire de sa femme, qui s'appelle aussi, Anne.

En principe, le surlendemain marque le retour au travail. Sauf qu'il ne me reste plus que quelques heures de sursis. Demain matin, tout va basculer.

« La vie est une phrase interrompue. »
Victor Hugo

LE CRASH DANS MA TÊTE

Plus de sons, plus d'images... Avant chaque crash aérien, il y a d'abord un silence radio. Le temps semble alors suspendu dans l'attente de la catastrophe qui, pour sa part, se déroule à une vitesse vertigineuse. À la suite de quoi, dans les débris encore fumants qui jonchent le sol, on espère toujours que la boîte noire, témoin privilégié de la tragédie, dévoilera tous les secrets du drame. Mais, une fois ouverte et décodée, celle-ci laisse souvent planer des doutes sur ce qui a pu se produire, des zones grises. Il en va de même pour mon naufrage, mon *crash* personnel.

À peine rentré de vacances, ce dimanche 20 août de l'an 2000 annonce une magnifique journée d'été. Le ciel est bleu et le fond de l'air est chaud. Ça tombe bien, c'est ma dernière journée de liberté avant le retour au boulot du lendemain. Ce jour-là, j'ai plein de choses à faire, notamment ranger notre équipement de voyage. Je me cherche un peu : « Où diable ai-je bien pu mettre ceci et cela ? » Je tombe sur mes cadeaux d'anniversaire : ça va pédaler jusqu'à la fin de l'été ! Surtout, je pense à cette fête qui nous attend chez mon frère. Tout va bien. Il n'empêche que je me sens un peu abattu. Aucun malaise spécifique, mais je ressens un vague inconfort... Je mets ça sur le dos de la fatigue accumulée au cours de notre voyage de retour chaotique. Anne se prépare à rejoindre sa mère à la Brûlerie de Saint-Sauveur pour le petit-déjeuner.

« Tu m'accompagnes ? demande-t-elle.

— Non, je préfère rester à la maison avec Fred. Il va regarder ses p'tits bonshommes à la télé. On se revoit tout à l'heure... »

Dans la matinée, vers 9 h, je jase au téléphone avec Gabrielle, la nièce d'Anne. Celle-ci sait que l'on est rentrés de vacances et vient aux nouvelles : la famille d'Anne est tricotée serré ! Graduellement, les premiers symptômes se font sentir. Je me mets à mêler des mots et mes propos deviennent peu à peu incohérents. Un sentiment étrange me gagne. Du coup, je veux qu'Anne revienne. Je demande donc à Gabrielle de tenter de la joindre, par téléphone, à Saint-Sauveur et de lui faire le message : « Dis-lui que je ne me sens pas bien et que j'aimerais être avec elle... »

Soudain, un immense mal de tête me foudroie. Une douleur sans nom. Je suis étendu sur mon lit et je crie à Fred, qui regarde la télé au salon, de signaler le 911. Le pauvre n'a que six ans et, forcément, mon état lui fait peur. J'ai su, par la suite, qu'un de ses amis lui avait raconté que c'était très grave de signaler ce numéro et qu'il ne fallait pas plaisanter avec ça. Bref, au moment crucial, il ignore ce qu'il doit faire. Appeler ? Ou est-ce « mal » de le faire ? Il fige.

Les derniers mots...

De mon côté, la panique monte. Qu'est-ce qui se passe ? Qu'est-ce qui m'arrive ? Sur un ton brusque et sec, je lui lance : « Passe-moi le téléphone, je vais le faire si tu n'es pas capable ! » Ce sont les dernières paroles que j'ai adressées à mon fils. Aujourd'hui encore, je regrette tellement de l'avoir rudoyé avec ce ton cassant, autoritaire et brutal ! Combien de fois ai-je rêvé à un autre scénario ? Je ne les compte plus. Si, au moins, de vive voix, j'avais pu lui dire un « Je t'aime » final, irrévocable et définitif, ces mots si précieux et essentiels dont j'ai été avare avant cette fatidique journée...

À trois reprises, j'essaie de composer le 911, mais ma coordination défaillante me complique les choses. Je n'y arrive pas et mon état se dégrade rapidement. Après quelques secondes ou quelques minutes, mes poumons cessent de se remplir et de se vider de l'air si précieux. Au début, j'angoisse en réalisant que je ne respire pratiquement plus et que je vais suffoquer, m'asphyxier littéralement. Je suis à un cheveu de perdre connaissance, je vois venir la fin. « C'est comme ça que l'histoire se termine. Heureusement, ça ne fait pas mal mourir ainsi... » est ma dernière pensée. Je sombre alors dans l'inconscience.

Entre-temps, Anne a téléphoné à la maison. « Papa est très malade ! » lui explique Fred. « Et toi, où es-tu ? » lui demande-t-elle. Mon fils lui répond qu'il est caché dans sa chambre. « Parfait. Reste où tu es. Je viens tout de suite ! »

Accompagnée de sa mère, elle arrive en trombe de Saint-Sauveur. Paraît-il qu'elle a parcouru la distance en cinq minutes ! Même à l'extérieur de la maison, elle entend les affreux râles qui ont remplacé mon souffle normal. En l'entendant crier mon nom, je reviens à moi. De pied en cap, je suis incapable de bouger et j'ai beaucoup de difficulté à inspirer. Sitôt sa mère entrée, Fred sort de sa chambre, livide, blanc comme un drap. Sa grand-mère et lui se réfugient chez une voisine.

Anne se précipite près de moi, choquée à la vue de mes yeux obstinément révulsés. « Ben, m'entends-tu ? » implore-t-elle. « Oui, mon amour, je t'entends. » Ce n'est pas ma bouche pétrifiée qui prononce ces mots, mais plutôt ma pensée, car plus aucun son ne se faufile entre mes lèvres. Elle compose le 911 en prenant soin d'expliquer mes symptômes et d'informer son interlocuteur sur les récentes fusions municipales afin d'éviter toute confusion dans l'acheminement des secours. En effet, au moment de l'achat de notre propriété en 1992, notre district faisait partie de la municipalité de Bellefeuille, mais des résidents ont entrepris des démarches pour le fusionner à Sainte-Anne-des-Lacs. Aussi, lorsqu'elle parle au préposé du 911, elle insiste sur le fait que nous figurons toujours sur la carte de Bellefeuille et non sur celle de Sainte-Anne. Elle tente d'expliquer l'itinéraire, mais l'imbécile au bout du fil réplique : « Madame, je ne vous montre pas à faire votre job, ne me dites pas comment faire le mien. » Sur l'entrefaite, les policiers débarquent rapidement tandis que les ambulanciers seront là... 55 minutes plus tard ! De fait, ils se sont perdus avec cette histoire de fusions municipales ! N'eût été de la perspicacité de l'un des policiers, ça aurait pu être beaucoup plus long encore. Cet agent s'est impatienté et a enjoint aux ambulanciers de se rendre à l'église de Sainte-Anne, qu'il les attendrait là, et qu'ensuite il les escorterait jusqu'à notre domicile. Durant ce temps, je fais des allers-retours entre des états de veille et des pertes de conscience.

De son côté, Anne s'est assise sur le lit, elle a posé ma tête sur ses cuisses pour la soutenir et me sécuriser. Toute lovée contre moi, elle observe ma bataille pour survivre en me demandant de la regarder à mon tour... Elle sent que je la comprends, à la suite de quoi, les yeux en larmes, elle murmure : « Tu n'as pas le droit de nous laisser comme ça... »

Bien avant l'arrivée des ambulanciers, je réalise que je suis complètement paralysé et qu'il m'est impossible de parler. Même si je suis conscient d'avoir franchi une limite et d'avoir ressenti une détonation à l'intérieur de mon crâne, sur le coup, je n'y pense pas trop. En effet, toute mon attention est concentrée sur une seule chose : respirer ! Je m'y applique de toutes mes forces, car ma vie en dépend. Dans l'état où je me trouve, le reste – parler ou bouger – est secondaire.

Anne, ma pauvre Anne, est sur le qui-vive. « Mais qu'est-ce qui se passe ? » Son cerveau fonctionne à la vitesse grand V et tente de comprendre. Pour accuser le coup, elle se réfugie dans la pensée magique et se dit : « Dans deux ou trois jours, on va tous bien rire de cet affreux *rush* ! »

Sauve-qui-peut !

On m'installe en position assise sur la civière et, à tombeau ouvert, on prend la direction de l'hôpital de Saint-Jérôme. Chemin faisant, je reconnais la route, la même que je prends pour me rendre au travail, les mêmes courbes, les mêmes bâtiments, les mêmes feux de circulation... Juste après l'arrêt au coin de la rue qui longe le cimetière, je réalise que mon état est sûrement critique, car j'entends l'un des ambulanciers perdre son calme envers son collègue et le fustiger : « Dépêche-toi, tab..., on va l'perdre ! » Sur ces mots, je sombre à nouveau dans l'inconscience.

Je reviens à moi alors que retentit le claquement des portes arrière de l'ambulance. En véritables mécanos de Formule 1 du corps, ils s'engouffrent avec moi dans les couloirs de l'hôpital. Au même moment, je tourne de l'œil à nouveau avec le sentiment d'avoir gagné mon pari.

Je suis sauf, enfin dans les entrailles de la cour des Miracles, abandonné entre les mains de ceux qui vont me soigner.

CIRCULEZ, IL N'Y A RIEN À VOIR

Voilà, au-dessus des débris encore fumants du *crash* a lieu tout un remue-ménage. Des gens s'activent et fouillent les mécanismes de ma boîte noire. Je m'abandonne à cette faune inconnue en qui, toutefois, j'éprouve une totale confiance. Le caractère imprévu et soudain des événements me dépasse. Je ne comprends rien à ce qui m'arrive. Mais ne suis-je pas dans l'amphithéâtre où l'on produit des miracles en palliant les défaillances du corps ?

Je passe une batterie de tests dont un scan du cerveau. Il est évident qu'un *delete* a altéré mon disque dur, mais où? Et qu'a-t-il effacé exactement ? À la suite du scanographe, l'urgentologue débiné annonce à Anne : « J'aurais aimé voir un hématome cérébral, quelque chose d'opérable, mais ce n'est pas une rupture d'anévrisme... Continuez à lui parler et à le toucher. On ne sait pas trop ce qui se passe... »

Aux soins intensifs, je suis intubé de partout, relié à des fils et à des machines à boutons qui me gardent en vie. Pour l'équipe médicale, je suis dans le coma. Or, il n'en est rien. C'est ça qui est dramatique avec le *locked-in syndrome.* Des gens qui en souffrent, peut-être même en ce moment, sont considérés comme « absents » alors que... Heureusement, il semble que le LIS soit plus facilement diagnostiqué de nos jours.

Mine de rien, je suis pleinement conscient. Une suffocation morale suit celle des poumons, qui eux, sont maintenant assistés pour que je puisse respirer. Mais ma tête, personne, sauf Anne, ne semble trop s'en préoccuper. Je perçois, j'entends bien des médecins aux propos énigmatiques qui ajoutent à ma désorientation. Toutefois, il m'est impossible d'y réagir, de dire, d'exprimer, de crier quoi que ce soit. L'exil est commencé... Personne ne m'a appris à hurler de l'intérieur ; à lancer un cri primal silencieux. Comment fait-on ça ? Voilà qu'une substance s'insinue dans mes veines et me propulse dans un flou bienfaisant, très médicamenté. Je tombe peu à peu dans les vapes. Tant mieux. Mon système de voltage s'éteint, muscle par muscle, nerf par nerf, branchement par branchement. Le fuselage de ma chair s'endort. Paf ! Perdu, je plonge dans l'obscurité... Une pause avant de revenir à l'intolérable.

Pendant ce temps, Anne fait la navette entre la salle d'attente, mon chevet et les bras de sa mère. Petit à petit, elle réalise que c'est peut-être sérieux et qu'un drame se joue dans nos vies. Cette fois, ni notre humour, notre légèreté ou notre belle humeur, qui ont jusqu'à maintenant animé nos existences, ne pourront renverser la vapeur.

Les yeux rougis d'Anne, à la fois fatigués et affolés, font leur possible pour éviter de me transmettre les pires inquiétudes. Je dois faire peur avec mes propres yeux affligés de strabisme, tandis que ma langue pend lamentablement à l'extérieur de ma bouche. Par tous les moyens, ma belle tente de communiquer avec moi. Elle me demande de serrer sa main : *niet,* ça ne fonctionne pas et aucune force ne se rend dans mon bras. Tout de même, elle me connaît suffisamment pour déceler le soupçon de vie, tout au fond de mon regard. Soudée à moi par notre intimité, par la connaissance que nous avons l'un de l'autre, elle sait que je suis *là* et qu'il y a toujours un pilote à l'intérieur de mon véhicule bousillé. Se fiant à son instinct, elle me propose alors de cligner des paupières : une fois pour dire « oui » et deux fois pour « non ». Ça marche ! Folle de joie, elle court voir le médecin qui, lui, n'en croit rien. Ma douce a alors l'heureuse intuition de faire valider son expérience et ses dires par l'infirmière la plus gentille et la plus ouverte du service. Celle-ci me rend visite et c'est chose faite. Le toubib s'amène...

« Donne tout ce que tu peux, Ben. Il doit comprendre que tu n'es pas dans le coma ! » me prévient Anne.

Tout ce que je peux ? D'accord. Auparavant, cela signifiait dévaler les pentes du mont Tremblant à 65 kilomètres à l'heure à vélo ou travailler comme un forcené pour mon entreprise et voilà que ça ne concerne plus qu'un clignement de paupières !!! C'est fou comme la notion de « donner son maximum » peut changer.

Eurêka ! Le médecin comprend. Il s'empare aussitôt du combiné d'un téléphone et, visiblement, engueule quelqu'un. Quoi qu'il en soit, le *locked-in syndrome* est identifié et la nouvelle tombe comme un couperet. Hors de ma présence, sans mettre de gants blancs, le médecin explique à Anne de quoi il retourne. Et le voilà reparti vers un autre patient. En pleurs, Anne perd tout espoir que je retrouve la santé, comme avant. C'est l'une de ses amies travaillant aux soins intensifs qui la renseigne un peu plus sur ce qu'est cette fameuse et rare affection.

Au bout d'une semaine, mon état s'est stabilisé et on me transfère dans une chambre privée.

Au compte-gouttes, en douceur, ma conjointe m'explique mon état. Les minutes qui suivront restent les plus démoralisantes de ma vie... Toutefois, et c'est étrange, bien que je comprenne ses explications, je ne réalise pas dans un premier temps l'ampleur de leur signification et je conserve l'espoir d'aller mieux. Ce n'est que progressivement que la réalité va s'immiscer dans ma conscience... Il faut dire qu'à ce stade, on ne m'expose pas vraiment toute la vérité. Je n'ai droit qu'à des euphémismes, des « petites phrases » qui n'arrivent pas à faire mouche. On essaie de m'expliquer, mais les mots s'ankylosent quelque part dans mon esprit comme autant d'informations secrètes récalcitrantes à s'intégrer profondément en moi. Ils surfent sur une vague indéfinie, flottant dans un obscur brouillard. Dans toute cette confusion ambiante, je ne parviens pas à cerner la réalité, à la saisir pleinement. Un mécanisme de défense sans doute. C'est trop gros pour être vrai.

Toute une équipe débarque dans ma vie : physiothérapeute, orthophoniste et ergothérapeute, qui m'accompagneront durant les deux mois au cours desquels je séjournerai à l'hôpital de Saint-Jérôme. Tout est organisé, orchestré à la note près. Bonjour la routine ! Désolant ennui heureusement entrecoupé de petites activités... Ainsi, installé dans un énorme fauteuil roulant, je peux au moins m'évader à l'extérieur, à l'air libre ; ce qui me fait un bien fou. Mais, la plupart du temps, je passe des heures, un siècle, une éternité étendu, les yeux rivés au plafond, à ne rien faire. Je suis perdu là où, selon moi, peu de mes semblables sont allés.

Durant mon hospitalisation, je parviens à faire comprendre à Anne que j'aimerais qu'elle me donne à boire du *Gatorade* bleu ! Elle s'empresse de répondre à mon désir sans se sentir coupable... Tout au long de ma « convalescence », je transcende ainsi quelques règles et ça me stimule ! Ma nature a toujours été un peu délinquante. La nature... Un après-midi pluvieux, je suis transféré dans un fauteuil et on m'amène sur la terrasse. Le plus grand possible, j'ouvre la bouche, la soif me tenaille ! Cette eau de pluie, qu'est-ce que c'est bon ! Une oasis au désert de ma condition.

Un jour, un stagiaire m'installe sous la langue un thermomètre alors que j'ai de forts spasmes aux mâchoires. Crac ! Je le croque ! Le mercure et le verre se répandent dans ma bouche. Anne panique. Moi, je me contente de rester les yeux bien ronds ! Régulièrement, une équipe d'ophtalmologistes vient recueillir mes sécrétions buccales. Durant l'un de ces prélèvements, je m'étouffe dangereusement. Je m'étrangle et, dans le feu de l'action, l'ophtalmologiste empoigne des ciseaux pointus comme si c'était un couteau de chasse et s'apprête à me faire une trachéotomie d'urgence ! Qu'est-ce que j'ai peur ! Je me sens comme un ours sauvage qu'on se prépare à égorger ! J'arrête de m'étouffer sur-le-champ ! Une trachéotomie est prévue trois jours plus tard.

Souvent, Anne se fait remplacer à la garderie pour venir me voir. Sa présence amoureuse et bienveillante me rassure et me réconforte. Franchement, n'eût été d'elle, je crois bien que je serais mort, frappé de plein fouet par l'aile de l'un des gigantesques papillons noirs de mon âme ou étouffé par le mal du pays : ma vie ! Finalement, notre pays à chacune et à chacun est tout simplement notre vie, telle qu'on l'aime... Si tous les dirigeants des nations pouvaient le comprendre !

Mon fiston Fred vient souvent me voir aussi. C'est incroyable ! Même si j'ai une tête à faire frémir, mes yeux se fichant l'un de l'autre, ma langue sortant de mes mâchoires attachées, mon gamin me fait la bise ! Un jour, en riant, il s'exclame :

« C'est comique de donner un bec sur ta drôle de bouche ! » Parfois, lorsqu'il trouve les médecins froids et expéditifs, il se demande s'ils ne sont pas fâchés contre nous. La plupart du temps, il regarde la télé dans la chambre sans trop poser de questions. Il est si petit ! Au moins, mon aspect ne semble pas le terroriser, c'est ce qui m'importe.

Un jour, en l'observant, je songe à quel point j'aimerais serrer affectueusement sa petite nuque et ébouriffer sa belle chevelure avant de le prendre dans mes bras !!! Alors montent en moi une violence froide, une grande tristesse et une sorte de jalousie... J'envie ceux qui font des activités avec lui alors que je suis verrouillé dans un hôpital et que je survis « parqué » malgré moi dans un sordide *bunker,* à la merci de quoi au juste ? Ce n'est pas vivre, ça... En clignant des paupières, je fais comprendre à Anne :

« Dis à Fred que je suis mort et oubliez-moi...

— Ben, on va te sortir d'ici, on va s'organiser une vie, tu vas revenir à la maison », me répond-elle.

Ses paroles réconfortantes se fraient un chemin jusqu'à ma douleur sans fin. Je m'abandonne à ses promesses et le combattant refait peu à peu surface.

Un combattant à genoux, remarquez... En effet, étrangement, seule une toux oppressante parvient à provoquer des spasmes qui font bouger mon corps autrement immobile et le font changer de position. Après avoir toujours marché la tête bien haute, en totale confiance, voilà que ma caboche dodeline dans tous les sens, qu'elle ne tient plus et chancelle au-dessus d'un cou sans force qui ne sert plus à rien. Hébété, mais non endormi, je me rends compte que quelque chose a basculé. Une autre grande révélation se dévoile : la médecine n'est pas infaillible et je ne suis pas un de ses miraculés potentiels. Avec moi, cette science atteint l'une de ses limites, voire la totale impuissance.

Malgré tout, les spécialistes à mon chevet affirment que je peux améliorer mon état. « Vraiment ? » Je suis prêt à me défoncer pour y arriver. À moi l'apprentissage de ma nouvelle réalité et des techniques fastidieuses pour communiquer. Mais il m'importe surtout d'apprendre à respirer seul et à manger sans être gavé. C'est à moi qu'incombe la plus infime optimisation de mon corps, c'est à moi d'apprivoiser le regard des autres, le mien surtout et, plus que tout, de réussir mon retour au sein de ma famille.

Au cœur de ce processus de réintégration se trouve l'Institut de réadaptation de Montréal. Je frétille d'impatience à l'idée de m'y retrouver... J'espère au plus vite m'extraire des murs de cet hôpital ! Et qui sait... un miracle m'attend peut-être au détour ? Qu'y a-t-il de plus abruti qu'une boîte noire qui a livré ses secrets alors qu'elle a à peine baragouiné trois lettres : LIS ?

AUTONOMIE MINIMUM, MODE D'EMPLOI

Enfin ! J'y suis ! Trois mois ont passé depuis mon naufrage et me voilà à l'Institut de réadaptation de Montréal, un des gyms parmi les plus surréalistes et les plus équipés au pays ! À travers un programme de rééducation intensive, que ce soit en ergothérapie, en orthophonie ou en physiothérapie, des spécialistes vont tour à tour mettre l'épaule à la roue pour améliorer ma qualité de vie. Ils affirment que des progrès sont envisageables, tels que respirer sans assistance, manger et même, peut-être, réapprendre à bouger un doigt, mon pouce : le grand luxe !

À mon arrivée, mon état est stabilisé certes, mais je suis toujours muni d'une sonde urinaire, j'ai toujours cette ouverture dans la gorge qui me permet de respirer ainsi qu'un tube relié à l'estomac par lequel je suis gavé. Malgré tout, mon moral est gonflé à bloc et je vais donner tout ce que je peux pour gagner le plus d'autonomie possible. Je me sens comme un jeune homme ambitieux, tout excité d'avoir réussi son entrée dans une prestigieuse université telle Harvard ! Je veux réussir au maximum. Sur mon état, je désire tout savoir ! Très impliqué et soucieux de ma réadaptation, je pose des questions sans omettre de refiler l'info à mes proches. J'ai de la chance, car je suis tombé sur la D^re^ Nicole Beaudouin, un être à part, une femme formidable et compétente qui m'a pris sous son aile de façon adroite. Dévouée, chaleureuse, dirigeant d'une main de maestro, la charismatique doctoresse dont il émane tant de positif inspire rapidement confiance. Au premier regard, je sais que je suis en de bonnes mains.

Avec compassion, elle sait donner l'heure et le ton justes : « Ça ne va vraiment pas bien, n'est-ce pas, monsieur Duchesne ? Et vous avez raison. Ça va être difficile, mais on va tout faire pour vous aider à retrouver le plus d'autonomie possible. Cela dit, vous ne pourrez jamais plus bouger... »

Cette cooccurrence de mots « autonomie » et « ne plus bouger » peut sembler bizzare, mais dans ma condition, ça se tient ! La doctoresse a dit vrai et le parcours que j'entreprends s'avère long et parsemé d'embûches. J'ai beau remporter une victoire, la guerre n'est jamais gagnée. Tous les jours, je repars au front. Impossible d'abandonner toutefois. Je songe à mon « p'tit bonhomme », à Fred qui se lève à 5 h trois matins par semaine pour aller s'entraîner à la piscine avant de commencer sa journée à l'école. Il est hors de question de lui imposer l'image d'un père qui abdique devant les difficultés. Cette pensée me donne la force de continuer. Et tous ces gens, Anne, mes beaux-parents, mes amis qui m'aident à me battre, comment pourrais-je les décevoir ? J'ai toujours prôné, tant dans ma peau d'entrepreneur que dans celle de simple citoyen, la persévérance devant l'adversité. J'ai donc l'occasion de traduire mes belles idées en actes concrets. De là à dire que sont intactes mon énergie et ma joie de vivre ? Bien sûr que non ! Je suis verrouillé, pas fou...

Ouf, je respire !

« Donnez-moi ! Donnez-moi de l'oxygène ! » chantait la belle Diane... Ça oui ! Des tas ! Respirer large et profond de l'air pur, *a priori,* ça paraît évident... Nos organes vitaux semblent reposer dans une forteresse d'acquis, croit-on parfois à tort.

Or, réapprendre à respirer requiert beaucoup de force et de courage. Ma forme motrice volontaire pour m'oxygéner s'en est allée prendre l'air justement, ailleurs que dans mon corps ! À l'Institut, on me prévient : « Si on attend trop longtemps, votre mécanisme naturel pour respirer par le nez et par la bouche ne reviendra pas. » Avec mon accord donc, quelques jours après mon arrivée, on commence à l'aide d'un doigt d'abord, ensuite d'un bouchon, à obstruer le trou pratiqué dans ma gorge par lequel passe l'air. Une seconde, puis deux, une minute, puis un jour, puis deux, puis trois ! Voilà, c'est gagné ! Ça s'est fait progressivement... mais sûrement. La plaie sur ma gorge s'est refermée et je respire seul, sans assistance. Difficile d'expliquer la peur de s'étouffer, de manquer d'air. C'est une terreur glaçante qui vous saisit, comme si vous étiez plongé en apnée jusqu'au vertige. C'est une ivresse asphyxiante entre soi et le souffle de vie ou de mort.

Manger, pari tenu !

Respirer, c'est bien, mais manger, c'est encore mieux ! Voilà une autre grande étape à franchir, un autre pont à traverser... Nous vivons à une époque où, de maintes façons, l'industrie alimentaire fait froid dans le dos. Un mélodrame se joue autour de l'assiette. L'industrialisation et la transformation des aliments inquiètent. Peut-on passer à table sans risquer sa peau ? Laissez-moi vous dire que les petits sursauts que vous causent les problèmes de ravitaillement prennent des proportions sismiques lorsqu'on est victime du LIS.

D'abord, s'abstenir de manger est une expérience épouvantable et sinistre. Mes amis ont été étonnés par les premiers mots que j'ai formulés : « Je veux manger. » Ils s'attendaient davantage à quelque chose du type : « J'aimerais tant serrer quelqu'un dans mes bras ! » Désolé de vous avoir déçus ou plutôt désarçonnés. Moi, plus que tout, j'ai voulu manger. Une véritable obsession car, lorsqu'on y pense, le fait de manger, tout comme celui de respirer, est à la base de la vie.

L'équipe médicale m'a bien préparé aux mésaventures qui m'attendaient : « Monsieur Duchesne, si vous mangez, vous jouez avec le feu, vous pouvez en mourir... » Eh bien, soit ! Que j'en meure s'il le faut ! Moi, je vais manger ! Parce que je veux avaler !

Primo, parlons simplement de boire de l'eau. L'épiglotte, une partie du larynx, est une petite membrane en forme de clapet située à la base de la langue. Elle protège les voies respiratoires lors du passage des aliments vers l'estomac. Dans le cas d'une personne souffrant du syndrome de verrouillage, la petite épiglotte prend son temps pour vachement cogiter : *Bon, bon, bon, voiciii un liquiiide qui s'amèneeee...* Le temps qu'elle réagisse et qu'elle fasse son job d'agent de la circulation : *glou !* l'eau est déjà entrée. Les risques que le liquide fasse fausse route et s'écoule dans les voies respiratoires est grand. Or, cela entraîne l'étouffement ou des complications pulmonaires telles une pneumonie, des infections et que sais-je encore.

Voilà pourquoi, notamment, je ne peux qu'avaler des liquides épaissis avec un gélifiant et que tous les aliments que j'absorbe doivent être réduits en purée. J'ai bien dit tous les aliments. Qu'il s'agisse d'un steak avec des frites, d'un homard ou d'un canard à l'orange : tout doit être en compote. Reste que je peux au moins profiter de la saveur des aliments.

À l'Institut, alors que j'effectue ma première tentative pour m'alimenter moi-même, plusieurs paires d'yeux sont braquées sur moi. On dirait que je joue à la roulette russe avec un revolver sur la tempe et que les paris sont pris : « Va-t-il s'étouffer ? » Je scrute également les membres de l'équipe de garde, mais je tiens à aller au bout de l'exercice, du défi. Manger « pour vrai » a été un pur délice ! Une libération, un affranchissement sans nom et je n'en suis pas mort. Oh, il y a bien eu quelques complications : une pneumonie et des infections... mais ni grande faucheuse ni grand voyage ! Parmi le personnel, certains me surnomment « le cow-boy » ! Je n'ai peur de rien, surtout pas de respirer et de manger. Et ce côté juste assez chenapan m'a permis de foncer et d'avancer.

Retrouver sa dignité

C'est vraiment à l'Institut que ça s'est passé. On se fait raser, habiller, traiter en humain. Et puis, la vie y est beaucoup moins monotone qu'à l'hôpital. Il y a les exercices, les activités à faire, l'agenda de la journée noirci d'un bout à l'autre, sauf les week-ends, les interminables week-ends...

Les soirées du lundi sont mes préférées. C'est la pause cinéma et je m'y prépare, j'attends la projection comme s'il s'agissait de la visite de l'un de mes meilleurs amis. Le septième art, j'aime ! Pour moi, l'évasion que procure le cinéma est un bienfait immense. Je visionne souvent les films en compagnie de Léopold, un de mes voisins à Sainte-Anne avec qui j'ai tissé un lien d'amitié. J'aime bien discuter avec lui, car c'est un retraité très cultivé. Souvent, en attendant Léopold et l'heure de la projection, je flâne près de la grande salle et certains employés en profitent pour faire jouer leur musique dans mon petit système de son qui me suit partout. Steve y va avec son Uzeb, et Marie-Josée avec Zachary Richard. L'ambiance est alors bonifiée ! Malgré tout, bien que je respecte l'endroit au plus haut point, il m'arrive de prendre du recul et de le trouver alors affreusement glauque et lugubre. Toutes ces blessures et détresses logées à la même enseigne, c'est déprimant..

L'immeuble est beau, moderne et spacieux. Il n'empêche que ses habitants sont terriblement tristes, et ça fait l'effet d'un éteignoir sur l'atmosphère des lieux. De fait, c'est pire qu'en prison. Une seule personne, un autre patient, m'a parlé durant les six mois où j'y ai séjourné et, franchement, je ne me souviens plus de notre échange. C'est un univers parallèle, une dimension oubliée, décalée d'avec la réalité comme on aime se la représenter. La plupart de mes souvenirs baignent dans un flou comme si, inconsciemment, j'avais préféré oublier les redoutables et pénibles olympiades des êtres aux corps brisés et disloqués que j'ai côtoyés là-bas. Un jour, j'ai vu une course entre deux personnes en fauteuils roulants, l'un motorisé, l'autre manuel. J'ignore qui a gagné. Il me semble avoir fermé les yeux. Tout comme cet autre après-midi où j'ai ressenti mon plus grand coup de cafard...

Ça s'est passé au grand salon alors que la lumière réconfortante d'un soleil d'hiver entrait à flots par les fenêtres. Un employé s'est amusé à lancer un ballon aux patients, mais personne ne l'a attrapé. Je me souviens parfaitement du sentiment de désolation extrême que j'ai ressenti. Marie-Josée a bien tenté de me consoler en nous amenant ailleurs, mon vague à l'âme et moi... « Ça ressemble au film *Vol au-dessus d'un nid de coucou...* », ai-je commenté. Charmante et gentille Marie-Josée, une fort sympathique infirmière de l'endroit, discrète, respectueuse et compatissante, elle a subi plusieurs de mes puissants spleens.

Savoir en rire !

Forcément, j'ai dû aussi réapprendre à rire. Surtout j'ai dû apprendre à me moquer de moi-même et des situations cocasses et désopilantes dans lesquelles je me retrouve parfois. Tout ça fait partie de la réadaptation. Comme cette fois où des auxiliaires m'ont prêté un appareil pour tourner les pages d'un livre... Une histoire qui a mal tourné !

Le bidule qu'on me donne est vieux, désuet, un véritable fossile technologique. Il tourne une page et une autre avant qu'une odeur de chauffé commence à se faire sentir... Soudain, l'appareil prend feu ! Le hic, c'est qu'il est à deux pouces de mon nez et qu'il m'est impossible de le bouger ! Heureusement, je suis installé dans le corridor, tout près du poste des infirmières. Être collé à une machine qui s'embrase fait un sacré effet. Après coup, il vaut mieux en rire... Rire jaune, rouge, noir, bleu ou vert, mais rire !

Parlant de rire, les victimes du LIS n'ont plus de contrôle sur l'expression de leurs émotions : elles passent du rire aux larmes sans possibilité aucune de censurer. En effet, la destruction d'une partie du tronc cérébral de ces patients entraîne non seulement la paralysie, mais aussi une sorte « d'incontinence émotionnelle ». Cette horrible expression, utilisée par les Français, traduit une difficulté particulière à contenir une émotion positive ou négative. Au début, ça fait curieux. Tout le monde devient un peu mal à l'aise et il arrive qu'on soit traités avec des antidépresseurs afin de modérer ces démonstrations émotionnelles spontanées. Toutefois, Dre Beaudoin, avant de sortir ses pilules, demande toujours : « Qui est-ce que ça dérange exactement ? Vous ou votre famille ? » De nature, je ne suis pas boulimique de médicaments, je laisse donc libre cours à mes fous rires et chaudes larmes. De fait, je donne accès à tout ce qui s'exprime intensément en moi. Naturel, non ?

Forcément, outre le blocage neurologique, ma condition en est une qui brasse les émotions. Il est normal, dans l'état où je me trouve, d'être souvent ému, sans retenue ; c'est pénible, ce qui arrive ! Heureusement, l'humour vient contre-balancer mon drame.

Les petites évasions comptent aussi. Durant les mois vécus à l'IRM, j'ai tenu à passer le temps des fêtes chez moi. Les personnes handicapées aiment aussi réveillonner ! À ce moment-là, je suis encore gavé et on m'envoie à la maison équipé d'une seringue sans aiguille pour expédier des médicaments dans mon tube de gavage. Lors du souper de Noël, j'ai fait mettre de la bière dans la seringue ! Ça a été une des meilleures bières de ma vie !

Le respect

Je dois beaucoup à l'Institut de réadaptation de Montréal. Durant mon séjour de six mois, j'y ai appris à renforcer mon cou, donc à tenir ma tête. En effet, je manœuvre un fauteuil roulant de mode céphalique contrôlé à partir des mouvements de ma tête. De plus, je peux à nouveau bouger mon pouce, une aubaine ! On m'a installé une orthèse pour soutenir le précieux doigt, et celui-ci s'active sur un ordinateur relié à un système *Mercury* spécialement conçu pour me permettre de communiquer. Par ailleurs, mes mouvements oculaires se sont multipliés, car au début, mes yeux étaient complètement paralysés. Je peux maintenant les bouger, mais je n'arrive toujours pas à regarder en bas ou sur les côtés. Ma bouche, quant à elle, s'ouvre un peu ! Autant de victoires incontestables, plus fortes encore que celles éprouvées au cours de mes *challenges* sportifs. Pour ma réadaptation, j'ai assumé tous les risques.

Une habile médecin

J'ai été *coaché* par l'inestimable D^re^ Beaudoin, qui aime son métier plus que tout. Lorsqu'elle était en formation, elle a fait l'effort de se déplacer en fauteuil roulant, histoire de prendre le pouls des préjugés ambiants. Et, au début de sa pratique, lorsqu'un patient arrivait couché, paralysé sur une civière, elle montait carrément dessus à quatre pattes afin de bien regarder le malade droit dans les yeux ! J'ai ouï dire que lorsqu'elle accueille une victime du syndrome de verrouillage, elle se recueille d'abord cinq minutes, car elle sait que ce premier contact ne sera pas facile. Elle est consciente que tous les yeux seront tournés vers elle, que le malade et sa famille vont boire ses paroles en espérant qu'elle soit Dieu le père personnifié... Aussi, comme une grande actrice, elle médite sur son rôle avant d'entrer sur scène de pied ferme, à la fois dynamique et compatissante : « Bonjour !... » Sur 15 patients victimes du LIS qu'elle a soutenus, un seul s'est suicidé. À leur arrivée, plusieurs ont voulu mourir. Elle suggère alors : « Ok, je vous comprends, mais on va faire un truc. Donnez-vous un an, parce que dans un an, vous ne serez pas dans le même état, vous aurez fait des progrès et qui sait, alors, si la vie ne vaudra pas la peine d'être vécue ? On peut en parler tous les jours si vous voulez... Mais on se donne un an de réflexion. » Sincèrement soucieuse d'adoucir notre quotidien, elle dégage une telle vibration d'humanité que cela a littéralement contribué à réduire mon handicap. Ironie du sort : ces formidables médecins sont les premiers à être surpris par les pulsions de vie et la force des êtres aux prises avec le LIS.

Voilà, ça y est. Impossible de rester à l'Institut indéfiniment. Je ne suis pas suicidaire ni dépressif. Je dois partir et commencer ma « deuxième vie ». Cette vie peut avoir une durée normale, dans la moyenne. Autant m'y faire et plonger dans le théâtre privilégié de la réalité. Parallèlement, à cette époque, Anne, mes amis et mes beaux-parents se défoncent pour adapter la maison en fonction de mes extrêmes limites.

Un boulot de titan! Comme ce n'est pas fin prêt, je dois à nouveau faire une halte obligée à l'hôpital de Saint-Jérôme, en attendant la fin des travaux... Cet épisode sera éprouvant.

Il n'empêche qu'en roulant dans ce satané fauteuil pour quitter l'Institut, je suis partagé entre deux sentiments : celui de m'approcher de plus en plus du but, soit retourner vivre chez moi, et celui, plus accablant, qui me signifie que la réadaptation est terminée. Mon moteur gronde à pleine capacité, illusoire de le pousser davantage, la Ferrari corporelle, pour moi, c'en est terminé. Tout un pan de ma vie appartient désormais au passé. En vérité, cette certitude me déchire.

PASSAGE OBLIGÉ

Anne œuvre de toutes ses forces pour me ramener chez moi, mais il faut compter du temps pour venir à bout de travaux d'une telle ampleur. Adapter une demeure à la présence d'un lourd handicapé n'est pas chose simple, reste que ça avance... Comme je dois quitter l'IRM et que la maison n'est pas encore prête : retour à la case départ à l'hôpital de Saint-Jérôme. Oh, pas longtemps... Juste un mois. Mais quel mois !

Me voilà au cœur d'un conte terrifiant, l'histoire est macabre et, si la dérision est la meilleure arme contre le désespoir, cette fois, elle m'échappe. Je suis encerclé par la maladie, la déchéance, la vieillesse et la solitude devant la mort. Aussi bien m'y faire et la regarder en face. Durant mon séjour, trois patients avec qui je partage une chambre rendent l'âme. Plutôt déprimant, n'est-ce pas ? Dans cet espace réduit, assis au garde-à-vous comme un bon petit soldat, je passe mes journées à fixer le mur à un mètre et demi de mon nez. Pour ne pas perdre le moral, je me répète sans cesse : « C'est temporaire. C'est temporaire. » Je trouve même le moyen d'attraper la bactérie C difficile ! Quelle symbolique...

J'ai l'impression de séjourner dans un grand *mouroir* parsemé de gisants. Alors qu'à l'IRM j'étais tous les jours rasé de près, habillé et occupé par différentes activités, le quotidien à l'hôpital est pénible et se limite à remettre une jaquette, à réintroduire une sonde pour l'urine, etc.

« Il n'est plus malade ! » s'insurge Anne en les voyant me réinstaller tout cet attirail.

En une semaine, mon moral chute dramatiquement. Il y a beaucoup moins de communication, je ne suis pas assis aussi souvent qu'avant, je ne vais presque plus dehors et on ne me consulte plus. Me voilà redevenu un pantin piégé.

« Je n'en veux pas ! » hurle ma tête. Durant toute une nuit, je me bats avec une infirmière pour qu'elle ne m'installe pas un cathéter. Comment est-ce possible ? En poussant très fort avec ma tête, je raidis et contracte tout mon corps pour bloquer l'objet. Mes efforts provoquent un spasme intense. L'infirmière finit par comprendre et lâche prise. « Je pense que vous n'en voulez pas... » dit-elle, s'avouant vaincue. « Seigneur ! Elle vient d'allumer ! » songe mon esprit en furie. Pourtant, elle a sous le nez les tableaux de l'alphabet qui me permet de communiquer et ne peut donc ignorer que je suis capable de répondre par un « oui » ou un « non » si on me questionne ! Pourquoi ne pas simplement me l'avoir demandé au lieu de pratiquement m'agresser ?

Néanmoins, je me console car les travaux d'aménagement de la maison vont bon train. C'est un « méga-aménagement » : le monte-charge, le lève-personne, le bain adapté, une rampe d'accès, le déplacement de la chambre de l'étage au pallier, etc. Tout ça sans oublier la transformation du véhicule, la formation des préposés, les arrangements avec le CLSC... Bref, c'est un boulot monstre, mais ça y est presque. Mon esprit s'envole vers mon monde, vers Anne et mes amis, tous ces bénévoles qui mettent tout en œuvre pour mon retour. Durant les week-ends, je sors de l'hôpital, ça me fait un bien immense ! Les lundis, dès que j'y retourne, je fais de nouveau de la fièvre et je replonge dans un sale marasme.

Un jour, Anne entre dans la chambre et me voit assis dans un fauteuil roulant, face à un mur. Il est midi.

« Je suis installé comme ça depuis huit heures ce matin, lui dis-je.

— C'en est trop ! s'indigne-t-elle. Tu sors d'ici maintenant ! »

La maison n'est pas encore prête. Tant pis ! On va faire avec. Pour mon retour, Anne a organisé une fête ! Tout le monde y est ! Durant un mois, je me retrouve dans le brouhaha des travaux et ce n'est pas du tout désagréable. Au moins ai-je l'impression de participer, de superviser, d'avoir mon mot à dire, d'être directement impliqué : c'est le bonheur ! Fred en profite pour faire des tours dans le lève-personne ! C'est drôle !

Puis, finalement, l'aménagement est prêt et une routine s'installe. La vie reprend ses droits. On organise même des vacances et des soirées avec les amis car tout se fait, même si ça exige beaucoup plus de temps qu'auparavant. Peu importe ! On a gagné notre pari et je suis chez moi... La forêt, le lac, l'espace : ils sont tous là. Toute cette vie, quel contraste comparé aux murs blancs du mouroir où ça tombait comme des mouches, à quelques pieds de moi...

LES ALLIANCES

Pour vous, l'amitié, c'est quoi ? Moi, je l'ai réellement découvert à la suite de mon AVC. Mes amis d'aujourd'hui sont mes connaissances d'hier, surtout des parents d'enfants qui orbitaient autour de la garderie d'Anne. On se croisait en coup de vent, affairés à se préparer pour abattre le boulot qui nous attendait chaque jour. J'étais celui qui, toujours pressé, expéditif, « sur une patte » comme on dit, partait tôt et rentrait tard.

À la suite de mon accident, ces liens se sont transformés en totale manifestation de bonnes intentions sous le signe de l'amitié, et ce, bien au-delà des mots. Des gestes très concrets ont été posés. Pour la première fois de ma vie, je me suis véritablement rapproché des autres et je les ai laissés se rapprocher de moi. Mon ami André m'a même changé de couche, lavé et rassuré alors que ça faisait des heures que je baignais dans ma merde. Lorsque l'amitié atteint de telles proportions, c'est la démonstration éclatante qu'elle existe bel et bien ! Qu'on le veuille ou non, l'idée de l'inconditionnalité n'est jamais bien loin de ces gestes si révélateurs.

Pour enrichir ce livre, mes amis ont été interviewés et tous ont dit : « On a hâte de le lire, on ne connaît pas ses sentiments profonds, il ne s'ouvre pas facilement... » Il faut dire que je me suis longtemps cantonné dans le rôle de l'homme secret. Drôle, bien sûr, et avenant, qui a toujours un bon mot pour tous, mais qui refuse de plonger dans la réelle intimité. Pourquoi l'aurais-je fait ? J'étais autosuffisant, terriblement indépendant, un franc-tireur, quoi ! Je n'avais besoin de personne... Et je m'arrangeais pour que personne n'ait besoin de moi.

Imaginez, après coup, devenir à ce point tributaire et soumis totalement aux autres. Imaginez dépendre de leur travail ou de leur bonté pour survivre : c'est une claque de taille ! Je suis tombé de haut et mes proches, mes amis, ont amorti ma chute. Je leur dois tant ! Ce sont eux qui se sont défoncés pour faciliter mon retour à domicile.

Autour de moi, l'amitié s'est transformée en un art de vivre. Elle a même poussé certains à faire preuve d'une véritable dévotion envers moi... Plusieurs se sont greffés à mon organisme en devenant membres du conseil d'administration, en faisant équipe pour m'aider à mieux vivre et possiblement en aider d'autres. Ici, chapeau à mon amie Lise qui y œuvre avec brio ! La tâche n'est pas facile tous les jours, car ce sont toujours les mêmes qui s'impliquent alors qu'il nous faudrait du sang neuf pour mieux mettre l'épaule à la roue. Le nerf de la guerre, c'est l'argent. Or, Lise commence à manquer de jus et d'idées. Cela dit, on *brainstorme* régulièrement, on essaie de vivre l'aventure comme un jeu, et ce, même si ça fait naître quelques angoisses. Faut être réaliste ! Et, paraît-il que je suis celui qui l'est le moins, peut-être suis-je devenu zen, après tout...

Dans mon univers, chacun de mes alliés occupe une place – sa place – choisie en fonction de ses forces et de ses goûts. Personne n'oblige personne à quoi que ce soit. André est mon ami de terrain. Cet éducateur physique avec qui, dans ma première vie, j'ai fait du ski, du vélo, des *jams* de musique et des partys mémorables me donne de son temps pour que l'on continue à s'éclater. Pour lui, tantôt je pleure, tantôt je ris. Comme un arc-en-ciel, d'un bout à l'autre du firmament, je lui fais vivre de grands recueillements.

Quant à Ati, il est mon ami plus *spirit*. Ce professionnel de la méditation s'amuse à me surnommer son gourou ! Selon lui, étant en constant état contemplatif, j'ai accès à quelque chose qu'il semble chercher ! Souvent, entre nous, il n'y a pas ou peu de mots. On s'allume un petit pétard, on écoute de la musique et on s'envole... Nos regards disent tout : *exit* les techniques fastidieuses pour communiquer. Cette évasion me fait du bien. Je deviens moins émotif et davantage détaché. Une ode à la légèreté, à l'occasion, ça ressemble au nirvana. Il faut se rappeler que mon corps est fixé à mon fauteuil roulant, ça fait lourd !

La famille

Mon *crash* a été difficile à vivre pour les membres de ma famille. Pour mes parents, surtout. Dans leur esprit, et c'est bien naturel, un enfant ne tombe pas malade avant ses parents, il ne devient pas une charge ou un poids mort avant eux. Ça les a déstabilisés. Beaucoup. Déjà, avant mon accident, nos échanges étaient empreints de retenue. Maintenant, on ne sait pas trop comment s'y prendre pour communiquer. Ça n'enlève rien aux précieuses valeurs qu'ils m'ont transmises. De mon père, j'ai reçu les notions d'honnêteté, d'intégrité et le souci des choses bien faites, alors que de ma mère j'ai appris l'amour de la nature et des animaux. Petits, elle nous fermait la télé au nez en s'écriant : « Allez jouer dehors ! »

Puisque nous partageons une même hérédité, mes frères ont eu peur que pareille tragédie leur arrive. Toutefois, rien ne prouve qu'il existe une composante héréditaire à mon état. Quant à ma sœur, elle dit ne pas être effrayée par la possibilité de vivre cette horreur, mais au cas où... elle a fait préparer des papiers excluant qu'on la maintienne en vie si jamais cela arrivait ! Johanne, cette belle amazone et femme d'action, a été effondrée par mon accident. « Je me sens tellement impuissante, Ben ! Si c'était un rein, je te donnerais l'un des miens... Mais là, je ne peux RIEN faire ! » m'a-t-elle confié. Cette incapacité à pouvoir changer la donne l'a dévastée.

Mes ex-beaux-parents

Roger et Lucette Garneau occupent une place privilégiée dans mon cœur ! Dès le début, ils se sont engagés à fond en ne comptant pas les heures pour me rendre la vie plus facile. Lors de congés, ils m'ont sorti de l'hôpital. Entre autres exemples, Roger, aidé d'une autre personne, m'a même pris dans ses bras pour me faire entrer dans la maison. Puis, il m'a attaché sur des chaises avec tout ce qui lui tombait sous la main, jusqu'à des cravates ! Il m'a bien ficelé, celui-là !

Dès qu'Anne a décidé que son homme revenait à la maison, ses parents ont participé activement au réaménagement de la demeure afin que je puisse m'y installer le plus vite possible. Souvent, les subsides gouvernementaux ont été longs à rentrer à cause de fonctionnaires un peu trop zélés. Un peu dépassés par l'ampleur des travaux, ils se sont renvoyé la balle d'un département à l'autre. N'eût été du temps passé par Roger et Lucette à lutter au téléphone contre des bureaucrates, en serait-on sorti aujourd'hui ? Rien n'est moins sûr... Et dire qu'avant cet AVC, j'ai fait les 400 coups avec eux ! Je me souviens même d'une soirée bien arrosée où tout le monde me cherchait et où ce sont eux qui m'ont retrouvé, endormi sur une motoneige ! Ce sont des amis pour la vie.

Et mes supporters indéfectibles

Tout ce groupe, ma bande, et d'autres dont je ne peux parler faute de place, mais qui se reconnaîtront (dont Kamran, un compagnon de vacances, François, un cousin d'Anne, et sa conjointe Linda, ainsi qu'Anne, la conjointe de mon frère Denis, pour n'en nommer que quelques-uns), ont participé à mon renflouement. On forme un sacré équipage !

Tout le monde rame pour maintenir mon petit bateau à flot, et la vie s'organise...

MA BELLE QUITTE LE NAVIRE

S'il est vrai que je me suis débattu comme un diable dans l'eau bénite, si j'ai fait front, si j'ai rué dans les brancards pour respirer et pour manger seul, si j'ai tenu le coup jusqu'à maintenant, ma victoire se résume néanmoins à deux mots-clefs: Fred et Anne. Sans eux, il y a longtemps que j'aurais déclaré forfait.

À la fin de l'été 2006, alors qu'on revient de vacances en Gaspésie, sur un ton un peu solennel, Anne dit qu'elle a à me parler. Je me doute bien de ce qu'elle veut m'annoncer. Ce genre de truc, ça se pressent, ressent et constate. On a beau, durant un certain temps, avoir refusé de le regarder en face, un jour, ça nous saute aux yeux! La réalité est que, depuis des mois, un fossé se creuse entre nous. L'éloignement, la froideur et une certaine tension sont palpables. L'heure de vérité: la séparation, on y est...

Malgré la terreur que ça suscite en moi, je comprends aisément ma compagne. Forcément, je me dis que l'AVC et mon lourd handicap sont venus à bout de notre amour.

Au cours des années, bien que ma conjointe se soit littéralement fendue en quatre pour moi, qu'à grands coups d'amour elle ait ouvert, une à une, des portes à tous les paliers pour m'assurer une minimale qualité de vie, il m'est arrivé, à l'occasion, de voir du découragement et de la détresse dans ses beaux yeux clairs. C'est une femme forte, décidément très capable, qui sait se battre, mais voilà, c'est devenu trop pénible à vivre. Bien que ses efforts pour faciliter ma prise d'autonomie aient porté leurs fruits, désormais, pour elle, la situation n'est plus supportable. D'où le malaise. Encore convient-il de bien en cerner la cause.

Au fil du temps, petit à petit, une routine s'est installée, la vie a repris à un rythme vaguement normal. Pour s'évader et ventiler ses angoisses, Anne s'éclipse de temps en temps, mais elle ne part jamais bien longtemps.

Comment en est-on arrivé là ?

Au début, les préposés viennent nous prêter main forte le matin seulement. Plus le temps passe, plus le nombre d'employés augmente, ce qui libère davantage Anne. C'est essentiel. Dès le début, elle veut se dégager d'une partie des soins, mais tous les deux, on ignore qu'il y a un envers à la médaille. En effet, graduellement mais sûrement, on perd notre intimité... Résultat ? La tension monte. Notre petit sanctuaire privé auquel nous sommes si attachés devient un nid foisonnant d'activités où plusieurs personnes entrent à toute heure du jour. Bien que vital, ce remue-ménage va avoir raison, en grande partie, de notre duo.

« Je n'ai plus de chez-moi. Pas sitôt sortie du lit qu'une préposée arrive. Gênée, j'ai honte de regarder une émission à la télé. Que va penser la préposée ? Que je suis paresseuse ? Que je ne fais rien chez moi ? J'ai pourtant bossé toute la journée. Sans compter que je dois toutes les entraîner et leur montrer le travail à faire... Je suis mal à l'aise, je me sens envahie... », me confie-t-elle, dépassée.

Voilà l'impasse dans laquelle se retrouvent souvent les lourds handicapés et leur famille. Quand cette déprime profonde se manifeste, c'est souvent un signe que les dégâts relationnels sont là depuis un moment. Le problème est qu'une personne handicapée n'est plus un « seul » individu, mais un être subdivisé, plein de ramifications, d'embranchements. Pour survivre, les handicapés doivent accepter de s'agglomérer à d'autres humains. Or, tous ne sont pas faits pour vivre autour d'un pareil agrégat. Cela demande un équilibre familial d'un nouveau genre qui n'est pas facile à obtenir.

Dans ce défilé des *ego* abîmés et des amours-propres en détresse, que devient ma vie de famille ? Manifestement, elle s'écroule. Et impossible d'en vouloir à quiconque, je sais que ma conjointe a donné tout ce qu'elle a pu et même au-delà. Je me propulse des années en arrière et je revois Anne nourrir notre nouveau-né... Qui eût cru qu'une décennie et des poussières plus tard, elle recommencerait à préparer des purées pour un être dépendant comme un tout-petit, en l'occurrence son homme ? Rien ne nous avait préparés à ça...

Bref, le va-et-vient constant des aides extérieures conjugué à un maternage forcé et excessif ont épuisé la meilleure volonté de ma conjointe. Et je n'ai pas à exiger le rôle de mère Teresa de quiconque. Épuisée, Anne est à bout de nerfs. Progressivement, elle perd sa légendaire belle humeur et commence à s'impatienter envers moi et les aides. Parallèlement, lorsqu'elle me voit rire avec les employées alors que nous imitons le ton du schtroumpf grincheux, elle se sent menacée, hors-jeu. Anne est tiraillée entre des sentiments contraires, elle est ambivalente et ne sait plus où elle en est. Du moins, avec le recul, c'est ainsi que je le perçois.

Toutes ces préposées qui sont entrées dans nos vies pour nous aider ont involontairement jeté de l'huile sur le feu. Force est d'admettre que lorsque plusieurs femmes logent à la même enseigne, se partagent un même espace, ça fait de l'électricité dans l'air. À l'occasion, elles prennent un malin plaisir à se piquer sournoisement à défaut de se crêper le chignon ouvertement ! Vers la fin, il ne se passe presque plus une journée sans que l'une fulmine contre l'autre. Et le fieffé mâle n'est plus en position d'arbitrer le clan des femmes ! Une chose est sûre, Anne est bien trop noble de cœur pour accepter d'emblée de se transformer en mégère : « Tous les deux, on mérite mieux que ça... », me dit-elle au cours de l'été 2006. C'est le début de la fin...

En clair, plusieurs facteurs ont contribué à l'érosion de notre couple. Et plus rien n'a pu contrer l'effet domino. La vie avec un lourd handicapé n'est pas de tout repos. Maintenir la meute groupée, solidaire et unie relève de l'exploit. Peu de couples franchissent l'épreuve du temps. Anne, le principal témoin de mon drame, celle qui a été, avec Fred, ma raison de vivre, qui m'a donné la force de me battre, prépare sa sortie de scène.

Ce matin-là, celui où elle a « des choses à me dire », la gravité de l'instant est palpable et j'avoue l'écouter avec une mine d'enterrement. Je sais bien que la vie de famille, comme je l'aime, appartient désormais au passé.

« Ben, je ne suis plus assez amoureuse pour continuer... Mais on a le temps ! Je ne vais pas partir tout de suite, on va s'y préparer... »

Sûrement a-t-elle prononcé d'autres mots, un chapelet de mots, mais ce sont les seuls dont je me souvienne. Les seuls que j'ai retenus : tranchants comme la lame d'une guillotine, définitifs, ne laissant place à aucune ambiguïté. C'est clair. J'ai beau le comprendre, il n'en reste pas moins que ma vie est à nouveau en lambeaux. J'ai beau lui rappeler que c'est elle qui m'a forcé à me dépasser alors que l'on était dans le même bateau, la même dérive, sa décision est prise. Encore une fois, une bribe de mon histoire m'échappe et je n'y peux rien, hormis l'accepter.

Au cours de la nuit qui suit cette matinée, je multiplie les réflexions, je revis nos années communes, nos rires, nos folies et notre bonheur de former un tandem. Mon port d'attache, mon barrage me protégeant de la ruine s'est rompu et une vague brutale a déferlé, en silence. La scène est surréaliste. Je suis désespéré.

Face à sa décision, beaucoup, moi inclus, s'interrogent : son départ sonne-t-il aussi le glas de mon maintien à domicile ? Vivre chez moi, c'est tout ce qui me reste. La guerre n'est pas gagnée, mon capitaine... De nouveau, je vais chercher ma voie dans ce destin imposé : « Jusqu'ici, tu t'es bien battu mon vieux, courage, sois patient et persévérant. Un jour à la fois. »

Durant l'année qui suit, j'apprivoise et me fais à l'idée. Tel un naufragé piégé sur une île, je vois l'autre, l'âme sœur, traverser le pont en sens inverse... Je ne lui en veux pas. Personne mieux qu'elle n'a misé autant sur mes chances de passer de la survie à la vie. J'ai bénéficié de son soutien permanent et, aujourd'hui, je comprends combien les êtres seuls, aux prises avec de graves épreuves, ont peu d'atouts entre les mains pour gagner la partie. Anne me laisse une empreinte indélébile et un précieux fils, le cadeau d'une déesse, souvenir d'une époque bénie...

Si elle m'avait abandonné dès le départ, alors que j'étais hospitalisé, je crois honnêtement que je lui en aurais voulu. Mais comme elle a mis la table avant de partir et fait le maximum pour favoriser mon autonomie, j'ai pour elle une reconnaissance infinie.

Anne et Fred partent l'année suivante... Mais je garde le chien ! Sans rire, leur départ va tout de même me propulser dans une seconde et impitoyable traversée du désert...

LE DÉSERT...

Un seul être vous manque et tout est dépeuplé, déplore le poète.

Dans mon cas, je suis en manque de moi-même...

Je pleure. Sonia, mon accompagnatrice favorite, me regarde profondément et caresse ma main, doucement, elle me dit :

« Ben, si tu décides de décrocher, de te laisser aller, n'aie crainte, je vais t'accompagner jusqu'au bout.

— Je ne veux pas vraiment me suicider, mais je suis à bout. Et quand bien même je voudrais mourir, comment pourrais-je le faire ?

— J'ai travaillé auprès d'un autre quadraplégique. Il a reçu l'autorisation de mourir ; s'il fait une grève de la faim et sombre dans un profond coma, on ne le réanimera pas. Tu veux que je m'informe ?

— Oui, d'accord. Prends les informations... »

J'ai eu cet échange avec Sonia durant l'année qui a suivi le départ d'Anne, quelques mois, en fait, avant qu'on me propose la rédaction de ce livre. C'est ma deuxième traversée du désert, mon second profond désespoir face à cette mise en esclavage que je vis depuis l'an 2000.

Je me sens comme une épave et j'assiste, impuissant, à mon naufrage. Zigzaguer en véhicule tout-terrain dans le Sahara, me surpasser sous un soleil de plomb, j'aimerais bien ! Toutefois, en fauteuil roulant dans les sables de mon désert, je n'avance nulle part... Et je m'impatiente. Les verrous sur mon corps ont miné mon moral.

La lumière de l'astre du jour est cinglante, aveuglante. Je suis seul. Vraiment seul. Devant mes yeux fatigués, je vois émerger les silhouettes de tous ceux que j'aime et avec qui j'ai trimé pendant des années, comme des mirages, autant de précieuses images que je veux conserver... Peut-être est-ce la froidure de mon immobilité conjuguée à la chaleur de mon courage qui fond comme neige au soleil qui me donnent l'envie de livrer mon dernier grand combat: faire le saut de la mort, là, dans le vide. En finir. Chaud, froid, tout s'entremêle. Ma zone de confort – si durement gagnée – m'a quitté...

Où est la source? J'ai besoin d'une oasis, de brins d'herbe, de feuillage, de fleurs, d'arbres, de sève qui circule. Et je suis là, au beau fixe, dans mon *no man's land*, exclu de cette vie que j'aimais tant. Une statue de sel en plein désert, pire, une statue de marbre. Un nuage noir d'émotions négatives flotte au-dessus de ma tête. Ici, une flopée de rapaces veut ma peau, et là, je suis la proie inerte d'un serpent à sonnette qui me fixe patiemment. Je suis encerclé. Immobile.

Je dois traverser cet accablant désert, passer à travers l'insoutenable, l'odieux, dans un total silence. Le désert peut rendre fou... Et dans le désert, où lancer sa bouteille à la mer?

Plusieurs avancent que notre corps est le temple par lequel on célèbre la vie. Le mien est si austère, si lourd, un véritable ermitage. J'ai envie de le vider de toute sa substance. Envie d'un immense trou de mémoire. De l'oublier. Besoin d'aérer ma tête.

Du fond de l'abîme, je veux quitter toutes ces idées vagues et m'engloutir dans une vraie vague – celle d'un océan –, et jouer avec les perles d'eau et les grains de sable sur ma peau. Je veux sentir mon corps en apesanteur! Est-ce cette image? Tranquillement se profile le symbole de ma source de vie:

Fred, mon fils. Du coup, ça me revient ; même dans une nature morte, il y a de la beauté, pas vrai ?

D'accord, je suis condamné à vivre. Pour la seconde fois, la bête refuse de se résigner. Il y a encore du chemin à faire pour l'apprivoiser. Moi qui étais si doué pour l'action, je dois aller un peu plus loin en moi pour m'acclimater et retrouver une zone d'aisance, de quiétude à tout le moins. Je ne suis pas naturellement un contemplatif. Dans le désert, les illusions s'éteignent une à une, mais je dois m'accrocher, m'accrocher à ce nouveau « moi ». De toute façon, la mort a-t-elle nécessairement quelque chose de mieux à m'offrir ? Pour qui ne croit pas à l'au-delà, rien n'est moins sûr. Mourir est loin d'être aussi simple qu'on veut bien le croire, car c'est contraire à notre instinct de conservation. L'animal en moi me le rappelle. Il ne me reste donc qu'une possibilité : faire le plein, accumuler des réserves de sève et de vie pour affronter la prochaine vague de fond, quand cette question reviendra me hanter : « M'accrocher à quoi ? »

Je ne sais pas toujours comment vivre avec « ce nouveau moi ». En revanche, ce que je sais, c'est que toutes les espèces qui ont été incapables de s'adapter ont disparu. J'imagine que chacun d'entre nous possède un don bien spécifique. Force est de constater que je suis un homme résilient. Même et surtout immobile, je me modifie sans cesse. Et ma mutation est considérable.

Dans le voyage de la vie, le siège peut être éjectable. Nous ne connaissons pas toujours le point de chute ni ne savons à quel point notre parachute va se dégonfler.

Quand j'atterris dans le désert, il ne m'apparaît aucun être imaginaire : ni dieu, déesse ou diable, aucun ange et encore moins d'extraterrestres, rien. Rien ! Il n'y a que moi qui rejoue mon envie de vivre sur ma table de poker imaginaire...

Envie de vivre... Je suis étendu sur le sable et la vue du ciel est époustouflante. Le soleil, la lune et les étoiles brillent pour moi aussi. Dormir dehors à la belle étoile, sentir la pluie sur mon visage, avez-vous idée comme c'est bon ? Le rappeler à ceux qui l'ont oublié redonne un sens à ma vie.

Le corps est un temple dédié à la vie, affirment plusieurs. Or, certains temples s'élèvent dans des déserts. Ils ont été bâtis à la dure par l'effort et la persévérance d'hommes courageux et tenaces. Certains sont des chefs-d'œuvre et d'autres sont hétéroclites, d'un style bizarroïde et indéfini. Je me sens un peu comme ces derniers, inesthétique mais résistant. De fait, d'une endurance quasiment héroïque ! Et puis, du haut de mon fort, même dans le désert, si je cherche bien, j'entrevois toujours une fleur qui arrive mystérieusement à s'épanouir à même le sol pauvre... Si dans la dureté de la sécheresse, la vie triomphe par on ne sait trop quel mystère, imaginez les possibilités de l'esprit humain !

La grande faucheuse et moi...

La définition de ce que signifie mourir a largement varié suivant les époques. Aujourd'hui, la compréhension et l'apprivoisement de la mort sont diverses. Quand vient le temps de déterminer à quelles conditions la vie ne vaut plus la peine d'être vécue, chacun perçoit différemment la limite de ce qui est supportable ou non. Chacun a sa façon de concevoir jusqu'où il peut aller.

Reste que pour s'y retrouver, après les collections de manuels de savoir-vivre sont apparus ceux de savoir-mourir. Il y en a pour tous les goûts. Vraiment ! Et la sacro-sainte question sur la vie après la vie a la cote...

La mort est-elle une fin ? Un commencement ? Un entre-deux ? Et la suite ? Laquelle choisir ? La réincarnation, la résurrection ou aucune de ces réponses ? Dans le doute et la fébrilité de ces grandes questions, il est facile de passer d'un excès à l'autre. Chose certaine, visiblement, peu de personnes, voire aucune, n'accepterait d'emblée d'endosser ma peau. « J'aimerais mieux mourir ! » voilà la réaction spontanée de ceux qui tentent de se projeter dans ma réalité.

Les croyances propres à chacun inspirent et déterminent les réponses à cette grande question. L'ignorance aussi. Selon moi, seule l'expérience directe d'une situation similaire à la mienne permet d'avoir un point de vue crédible sur cette problématique. Tant qu'on n'a pas marché dans les godasses d'un autre, comment savoir, comment présumer de ce qu'il doit ressentir ou vouloir ? La meilleure façon est encore de lui poser la question.

Quand il s'agit de nos croyances versus nos angoisses, on a beau mettre des gants blancs pour ne pas froisser l'opinion d'autrui, tout le monde peut devenir fou et s'y perdre ! À preuve, les guerres ! Les religions ont ceci en commun : le bonheur, c'est pour « plus tard », « rendu au ciel », « après la vie sur Terre », « pas avant au moins sept vies ». Plus tard, tout sera merveilleux ! Outre le bouddhisme, on ne parle pas beaucoup du « ici et maintenant ». Sans être un adepte de cette philosophie, je m'accroche au moment présent et uniquement à lui. Pour moi, le reste n'existe pas. *Niet, nada ! Exit* la vie après la vie ! Je n'y crois pas. Et ça vaut peut-être mieux, sinon... De toute façon, j'ai d'abord celle-ci à vivre.

Cette manière de voir donne de la saveur à mon existence. S'il fallait que je pense autrement, par exemple que tout sera parfait « après »... eh bien, *go* !, je ferais en sorte d'organiser sur-le-champ ma sortie de cage ! Face aux aléas de la vie, je mise sur le moment présent et... au petit bonheur la chance !

Cela dit, quand à huis clos, dans mon « corps-dortoir », mon cerveau est bombardé de solitude, il m'arrive de regarder par une faille de mon armure et de m'offrir un temps de réflexion sur la dernière avenue qu'il me reste vers la liberté. La grande faucheuse et moi, nous nous observons alors comme des chiens de faïence. Tant qu'elle reste aussi immobile que moi, cette pénible seconde ressentie comme un siècle a de bonnes chances d'appartenir rapidement au passé. C'est rassurant ! Aucun instant n'est éternel.

Il est bien possible que la funeste sirène revienne me hanter avec son chant sur le suicide assisté, l'euthanasie passive ou active... Une musique qu'elle n'a pas fini de me resservir ! Il suffira peut-être que je l'entende dans un moment où je serai vaguement déprimé pour que le débat fasse de nouveau rage en moi : vivre ainsi ou abandonner ? Démissionner ?

Mais... baisser les bras et transmettre cet exemple à Fred ? C'est trop dur.

FRED, MA ROUE DE SECOURS !

Comment raconter cette partie de mon histoire ? Celle qui n'a pas de prix, aucune équivalence... Quand je songe à Fred, il y a tant de paix soudain, tant d'éclat ! À chacun son champion ! Une fois qu'il a franchi le seuil d'entrée, j'oublie le reste.

En 1994, à la naissance de Frédéric, j'ai 36 ans. Ce gros garçon de neuf livres et demie s'est fait attendre deux semaines supplémentaires. Le 30 mai est un matin de semaine pareil aux autres où tout semble normal. Après m'être assuré qu'Anne se sent bien et que je peux la laisser en toute sécurité seule à la maison, je pars travailler à Laval. Vers la fin de la matinée, elle me téléphone : « Ben, ce n'est pas urgent et pas encore la panique, mais dès que tu peux, viens me chercher pour aller à l'hôpital... » Ouf ! « Pas de panique », dit-elle... Les 40 minutes de route me séparant de la maison sont interminables et, à mesure que j'avance, je sens des vagues d'angoisse m'envahir. J'ai mal au cœur et au ventre, moi aussi !

À l'hôpital, on tente un accouchement naturel, mais c'est peine perdue. Rapidement, on pratique une césarienne. Le médecin cède sa place à un chirurgien et on m'invite à assister à la naissance de mon bébé. Aussitôt dit, aussitôt fait : pour rien au monde je n'aurais manqué ça ! Dans la salle d'opération, on m'explique chaque étape, chaque geste et je suis là, ébahi, subjugué par le miracle de la vie. Je me sens privilégié, confiant et rassuré. Bientôt, je vois sortir du ventre de la femme que j'aime... mon fils ! Enfin, je gagne le *jackpot,* je découvre l'Eldorado. Mon trésor !

À ce moment-là, je ne saisis pas l'ampleur de tout ce que cet enfant va faire naître dans ma vie. Bien sûr, les images et les projets défilent à la vitesse de la lumière dans ma tête : toutes ces activités que l'on va faire ensemble ! Je cogite sans fin sur les rapports père et fils, j'imagine qu'il aura mon accent, mes inflexions, mes formules et expressions, mon ton, le rythme de son père... Jamais le reflet du miroir n'a été aussi beau, aussi grand. Et, quand Fred aura deux et trois ans, mon amour pour lui va se décupler car, physiquement, il me ressemble à un point tel que j'ai l'impression d'avoir créé un clone.

Durant cette période, je suis loin de me douter que, dans un futur proche, l'image que je me fais de moi-même va se fracasser et le miroir se pulvériser.

Cela dit, au fil des ans, notre *team*, tant bien que mal, est parvenu à recoller les morceaux dispersés et à donner forme au portrait de famille rocambolesque que nous formons. Loin d'avoir été un enfant Téflon, Fred aura été pour nous un enfant « sparadrap et diachylon » ! Il demeure que je tente de toutes mes forces de ne pas dépasser les bornes en faisant crouler mon enfant sous la lourde responsabilité de donner un sens à ma vie. Ne plus être un père autonome constitue un sacré deuil ! Jusque-là, un père était pour moi un archer propulsant son enfant dans le grandiose terrain de jeux qu'est la vie.

Chassez l'intrus !

Au commencement, avec mon *new look* et mes effroyables limites, je me sens un gêneur, un indésirable et quasiment un imposteur face à mon fils. Je me trouve « de trop » et me disqualifie avant même de jouer... Bref, rétablir le contact avec mon gamin de six ans à peine n'a pas été de tout repos.

Encore aujourd'hui, la machine n'est pas parfaitement huilée et Fred est un jeune garçon un peu distant tout comme l'a été son père. La même réserve de père en fils, depuis des générations. Ajoutez à ce *pattern* masculin un silence « physique » insondable et la fortification est de taille ! Il n'empêche, il nous a bien fallu trouver les outils et équipements qui nous ont permis de fissurer ce rempart de mutisme afin d'y laisser entrer de petites lumières. La remontée a été lente et épineuse...

Beaucoup s'entendent pour dire que l'enfant s'ajuste intuitivement au handicap de l'un de ses parents, et je le crois. Par exemple, alors que je suis à l'Institut de réadaptation de Montréal, ma première sortie publique consiste à me rendre dans la classe de Fred afin d'expliquer mon état aux enfants. C'est son idée ! Une prof lui demande alors ce que mon drame change pour lui. Et mon p'tit bonhomme de répondre, fièrement : « Moi, quand j'arrive de l'école, mon père, il est toujours là ! » Que de candeur ! Ça m'a marqué pour toujours ! Quand le présent est démoralisant et que l'horizon du futur est incertain, je me remémore cette scène avec tendresse.

« Qu'est-ce qu'il a, ton père ? »

Depuis ce matin-là, depuis sa première année scolaire, fiston a poursuivi dans cette veine. En véritable ambassadeur du LIS, il prend plaisir à expliquer aux autres de quoi je souffre. « Mon père est handicapé, pas un légume ! » martèle-t-il sans cesse. Jamais je ne l'ai senti mal à l'aise de se trouver à mes côtés. Au début, il a été incommodé par ma façon de déglutir, mais il a vite appris à m'essuyer le visage en faisant fi de son dédain. À sa façon, discrètement, il veille sur moi, attentif à ce que je ne me retrouve pas dans une situation contrariante ou humiliante.

Avec le recul, je me rends compte à quel point nous avons pédalé tous les deux. Pas à vélo, comme je l'aurais souhaité, mais dans nos cœurs afin de reprendre le fil conducteur de notre histoire. De son côté, il s'est cassé la tête, posé des tas de questions : « Comment parler avec mon père ? » On a commencé avec les mouvements de tête, de haut en bas et de droite à gauche, à la suite de quoi il a appris le code des lettres qui permet de communiquer avec les gens qui sont dans mon état, de sorte qu'il a mémorisé simultanément deux alphabets : l'ordinaire... et le mien ! C'est tout un entraînement de retenir les lettres sans les écrire ! Il faut, pour cela, développer sa mémoire. Heureusement, celle de Fred est plutôt aiguisée. Sûr, il est jeune et un rien le distrait : une image à la télé, un « bloup-bloup » qui annonce sur MSN l'invitation d'un copain (ou, mieux, d'une copine), un papillon qui frôle la fenêtre... Alors les lettres et la communication disparaissent vite fait et il rejoint son monde. C'est bien ainsi !

J'ai su démontrer qu'avec de l'aide une personne handicapée peut assumer son rôle de parent. Qu'en est-il aux yeux de son enfant ? Est-ce lourd à porter ? Celui-ci, en plus de répondre à la curiosité des autres, se questionne lui-même : « Ai-je le droit d'être normal et heureux alors que mon père est handicapé ? » Normal et heureux, Frédéric l'est ! Il est non seulement un ado pétant de vitalité, mais aussi un véritable athlète ! Ironie du sort ou implacable logique, il est un sportif d'élite...

Souvent, j'ai l'impression que sa passion pour le mouvement est directement liée à mon immobilité, comme si ses prouesses étaient pour lui une façon de conjurer le sort, de prendre une revanche sur l'inertie... Sans compter qu'elles ont le pouvoir de combler mon propre vide d'action et mon absence d'agilité. J'avoue vivre ses exploits par procuration, comme si c'était moi qui les réussissais, et ma fierté est inexprimable. Fred est un « bûcheur ». Je l'observe avec son jeune corps musclé, je l'admire alors qu'il se lance des défis à lui-même, qu'il brave et passe toutes les épreuves sportives qui se présentent à lui. En contemplant ses exploits, cette pensée me talonne : « Le fait-il pour lui ou pour me faire plaisir ? » Aux aguets lors de ses compétitions, je scrute la moindre de ses expressions afin de trouver réponse à cette question. Fred me rassure : « Tu n'y es pour rien ! Je le fais parce que j'aime ça... » J'ose te croire, mon fils. Bien que je sache que la ligne soit mince entre l'ambition et l'obstination. Peu importe les raisons profondes qui le poussent à bouger, je profite de sa passion pour le sport : enfin quelque chose de stimulant, de positif, de vivifiant ! Et, bien sûr, je me revois à son âge, alors que j'étais un boute-en-train invétéré et que je déplaçais de l'air comme une véritable tornade ! Cependant, la mélancolie est un guet-apens et je dois faire attention à ne pas y sombrer. Je dois éviter d'être trop nostalgique par rapport à l'univers de Fred et celui de mes 14 ans, alors que le monde m'appartenait...

Le temps du « je-m'en-foutisme »

J'aime Fred, beaucoup ! Et j'aime l'âge de l'adolescence où l'on se cherche, on se mesure les uns aux autres, on court avec notre horde sauvage, avec des amis à notre image, ceux avec lesquels on partage les vrais et grands secrets ! Que pense-t-il profondément ? Je l'ignore...

Une chose est sûre, je suis fier de lui, et ce, même lorsqu'il fait ses gaffes ! Quelque part, j'ai beau jeu : mal équipé pour couvrir le secteur de la discipline, je laisse ce soin à sa mère, qui s'en charge très bien. Comme tous les ados, il est étourdi, dans la lune, et l'univers orbite autour de lui. Ainsi, il lui arrive de manquer des rendez-vous avec sa mère ou d'oublier un point de rencontre convenu avec elle et de préférer aller manger une crème glacée avec un ami. À l'occasion, il néglige de signaler ses changements de plans, une insouciance qui met sa mère en rogne, toujours profondément inquiétée par les défections inattendues de son fils.

Dans ces cas-là, il lui arrive de s'amener chez moi, en sueur, parce qu'il a roulé en vélo avec son gros sac d'entraînement sur le dos. En effet, à la campagne, l'absence de transports en commun force le covoiturage parental ! Sa mère vient ensuite le récupérer non sans le sermonner royalement. Moi, ça me fait rire ! Je rembobine ma vie quelque 40 ans en arrière et je revois la même scène, les yeux fâchés de mon père et la moue indignée de ma mère, et des tas d'autres adultes qui secouent la tête, découragés, à l'évocation de mes frasques. Je pouffe de rire ! Plus ça change, plus c'est pareil, et ce, même s'il a vu le jour à une époque bien différente de la mienne. Une époque qui n'est pas meilleure que la nôtre, qui est tout aussi excitante et palpitante et qui offre à nos jeunes des outils innovateurs pour performer tous azimuts.

Son quotidien, Fred le vit avec sa mère, alors que chez moi, il est en « visite », ça change la donne. Notre relation est sur le mode baba cool. Malgré tout, je cherche à le responsabiliser dans plusieurs domaines de sa vie. Je lui parle du plaisir et de la fierté du travail bien fait, je l'encourage dans ses projets, bref, comme la plupart des parents, je lui transmets mes valeurs et des techniques afin qu'il développe un meilleur jugement. Je l'outille, le divertis, lui dis que je l'aime et qu'il est important dans ma vie et, surtout, nullement honteux, je lui confesse mes erreurs plutôt que de revêtir le costume du super héros. Ça l'amène à me confier un peu les siennes et, s'il n'exagère pas sur les bêtises et les maladresses, je vais jusqu'à le couvrir ! Il sait qu'il peut me faire confiance jusqu'à un certain point. Et il n'en profite... pas trop ! Voilà sur quelles bases nous avons édifié ce pont l'un vers l'autre.

La peur de ma vie

L'amour filial peut-il réellement se développer et s'épanouir entre un parent handicapé et son enfant ? Que je me suis donc cassé la tête avec ça !!! La crainte de ne pas être à la hauteur m'a littéralement obsédé. Pendant longtemps, j'ai vécu ce qui m'est arrivé comme un lamentable échec à tous points de vue, le plus douloureux constat ayant été de ne plus me percevoir comme un père. Peu à peu, une réplique du film *Le Scaphandre et le Papillon* a fait son chemin et m'a réconforté : « Un morceau de papa, c'est encore un papa. » On se met tellement de pression dans notre rôle de parent ! Pourquoi penser que dès qu'un morceau du puzzle fait défaut à notre idéal, tout doit s'écrouler ? L'amour et l'attachement sont-ils à ce point fragiles ? Je ne le pense pas, plus maintenant en tout cas... Franchement, je le pense moins.

Je veux espérer de tout mon cœur que nous sommes plus forts que nos idées préconçues. N'importe laquelle *success story* familiale peut culbuter, craquer et s'affaler comme un ballon dégonflé. Ça peut arriver n'importe quand à n'importe qui. Ces soubresauts imprévus provoquent toujours plein de remises en question ! « J'ai peur que mon fils en arrive à ne plus m'aimer », voilà honnêtement la source de mon angoisse. Cette peur est encore plus puissante et désarmante que le syndrome de verrouillage comme tel.

Fred est ma raison de me lever le matin. Il est le stimuli qui me force à négocier tous les virages de ma réalité, qu'il s'agisse des hauts risques qu'il y a à continuer à habiter seul chez moi, de l'argent et des employés que ça nécessite, de la menace que représente un incendie, etc. Avec beaucoup d'humilité, j'avoue qu'avant tout, c'est la présence de Fred qui détermine ce choix. Soit dit entre nous, quel jeune désirerait voir un de ses parents se retrouver en institution ? Et le visiter dans un aussi sinistre décor ? Ici, Fred a ses choses, sa chambre, un peu de notre vie d'avant, quoi...

Depuis huit ans, il m'est impossible de l'empoigner chaleureusement, de le serrer dans mes bras, de lui donner une bonne tape dans le dos pour l'encourager. Impossible de lui dire de vive voix que je l'aime. Aussi, je tiens à ce qu'on me laisse la possibilité de le voir et de le regarder vivre autrement qu'au cours d'une visite de sa part entre les murs d'un endroit on ne peut plus étranger à son quotidien ! Il le sait, lui aussi, que les vrais contextes de vie doivent être préservés...

Depuis qu'il est tout petit, on l'a emmené partout. Il était toujours « sur une patte », comme on dit familièrement. Étant donné que je travaillais beaucoup, je tenais, durant mes journées de congé et mes vacances, à ce que l'on pratique tout plein d'activités. Enfant, je lui ai fait traverser le lac à la nage, sans flotteurs ni ceinture, et maintenant il nage régulièrement 3 000 mètres. Dès l'âge de trois ans, il nous accompagnait lors de nos marches d'une dizaine de kilomètres. Il savait qu'en bout de piste l'attendait un copieux pique-nique ou un souper dans son resto préféré, *La Cage aux Sports*. À l'heure qu'il est, Frédéric fait du triathlon et remporte des médailles.

Un nid vide ?

À cause de la maladie ou d'autres circonstances, la famille, ça explose et se recompose, ça tempête ou chuchote, ça se défigure ou se projette dans d'autres horizons plus larges que ceux prévus. Et pourquoi diable tant de peurs et de précautions lorsque ça arrive? Pourquoi tant d'errance lorsque la nichée se métamorphose? Par tous les moyens, j'ai tenté de m'ouvrir, de m'adapter à ce qui « est », ni plus ni moins. Il n'empêche, la peur est tenace. Je le revois du haut de ses trois pommes, pour sa première au cinéma IMAX. C'était un film sur les poissons qui semblait tout gentil, sauf que le brochet à grande gueule pleine de dents fonçait droit sur nous dans un effet 3D terrifiant de réalisme! Fred a eu tellement peur qu'il a fallu quitter la salle! C'est pareil pour moi. La grande gueule de la vie m'a quasiment avalé tout rond, mais je ne quitterai pas la salle parce qu'il y a Fred et que celui-ci m'a dit: « Je suis fier de ta force. Tu es un grand modèle pour moi. Je ne connais personne de plus persévérant que toi. Tu acceptes ce qui t'arrive... »

Malgré tout, j'ai peur qu'un jour il ne m'aime plus. Je m'efforce de penser autrement, d'écarter mes pensées négatives et de jouer avec lui, avec la vie, avec le plus de légèreté possible, pour qu'un jour on puisse dire que le fils a gagné son match et le père son *challenge*, son combat. La confiance est la victoire.

Cela dit, je suis en deuil du père que j'aurais aimé être... Là comme ailleurs, en matière de deuils, je suis sur le point de devenir un pro.

LE DEUIL AMOUREUX...

Que reste-t-il de mes espoirs d'amour ? Le fait de ne plus être physiquement dans la course implique-t-il celui de faire le deuil de toute relation amoureuse ? Dans mon cas, à cause de mon état, je le crois bien, oui... Le verdict est rude, admettez-le. Malgré quelques soubresauts d'optimisme et, comme qui dirait, quelques vagues espoirs, je ne crois plus beaucoup à la possibilité de vivre une histoire d'amour avec une femme. On a beau dire que l'amour n'obéit à aucune règle spécifique et qu'il se moque bien des convenances, je ne crois pas être un « p'tit genre » très recherché. Il n'empêche que la soif d'amour s'attarde et traînasse dans toutes les parcelles de ma chair. Le rêve amoureux, je l'ai toujours dans la peau !

Comment oublier les trompettes, roulements de tambour et les « Chabadabada ! » que l'amour fait entendre dans son sillage ? Aimer et être aimé : quel être sain d'esprit refuserait une telle chance ? Ce n'est pas faute de vouloir et d'espérer que les choses soient autrement, mais il faut avouer qu'un corps inanimé dans un fauteuil roulant, ce n'est pas très sexy. Le prince charmant que j'étais a pris une sacrée fouille et s'est un peu esquinté.

Il n'empêche, même emmuré dans ma carcasse, je peux tuer le temps grâce à différentes activités, mais impossible de tuer le goût de l'amour et de ses hauts sentiments, de la conquête de ces vastes territoires grisants, de cette excitation affective unique, de cette festivité des sens et des conversations intimes stimulées par cette rencontre profonde avec l'autre. Un pur ravissement ! Comme il est dur de quitter à jamais ce septième ciel et ses nuages sur lesquels on flotte lové contre la personne aimée. « Mon amour, je vais t'aimer comme tu es. » Voilà les mots les plus puissants et les plus doux qu'une personne handicapée puisse entendre... Ah ! si l'amour pouvait rendre vraiment aveugle !

Je suis mort à beaucoup de parties de moi, mais j'arrive difficilement à mourir à ce chapitre-là. Plus que tout, c'est là ma grande peur : ne plus être aimé. De tous mes rendez-vous manqués depuis huit ans, celui-là est parmi les plus douloureux et déchirants. D'autant plus que j'ai connu l'amour et que je me sais capable d'aimer. Il y a bien longtemps que je n'ai plus l'âme d'un célibataire endurci. Alors, de me convaincre que « Voilà, c'est fini », aïe ! Difficile ! Voir à travers la vie avec les yeux de l'amour, ce rêve m'anime encore. Depuis toujours, j'aime tellement les femmes, leur univers, leur grande beauté et bonté, leur belle folie !

Jusqu'à ma rencontre avec Anne en 1989, j'ai été plus une cigale amoureuse qu'une fourmi. Des années de joyeuse errance à vivre ma vie de musicien, bohémien, jeune prince de la nuit, à parcourir les routes de la province pour jouer de la musique de club en club, à clamer *Let's Have Fun !* Et j'en ai eu ! J'ai tant aimé cette légèreté...

Physiquement gâté par Dame Nature, un peu foufou, un rien désinvolte, je n'ai pas eu besoin de *coaching* amoureux ni de cours de charme pour séduire des femmes fascinantes, et ma préférence a été nettement aux femmes un brin excentriques et marginales. Et, dans ma vie, les belles se sont succédées. Au passage, j'en ai bien écorché quelques-unes et j'en suis désolé. C'était davantage par inconscience et ignorance que par méchanceté. Durant ces années, accro aux relations stimulantes, j'avais tendance à m'éclipser dès que les papillons cessaient, non sans d'abord avoir tenté de restimuler les troupes ! En effet, paradoxalement, même si je m'extirpais d'une relation assez facilement, je demeurais dépendant de mes amoureuses.

À cette époque, je garde mes compagnes grâce à des tactiques sophistiquées dont la lutte contre la monotonie. En ce sens je m'évertue à ne jamais laisser le plate et l'insignifiant s'immiscer dans mes relations amoureuses. Durant ma vie active d'amoureux, j'ai toujours aimé surprendre ma partenaire et j'ai toujours eu une sainte horreur du quotidien ronflant où tout est égal, sans saveur. Dans ce domaine-là aussi, j'ai été proactif et je ne le regrette pas ! J'en ai bien profité... Heureusement. Au moins, durant une époque, j'ai été un enfant chéri de la romance et de ses doux refrains.

Un Cupidon pour les infirmes ?

Dans notre société, un des grands tabous concerne les dimensions sensuelle et sexuelle de la vie des personnes handicapées. Celles-ci semblent censurées, occultées, voire inexistantes, la personne handicapée étant vue comme un être asexué. Rien n'est moins vrai. Dans ces eaux-là, pour les « mobiles », c'est encore la séduction et la performance qui sont à la barre, sans parler du culte du corps parfait qui, de plus en plus, est mis de l'avant. Pour les personnes handicapées, les choses sont très différentes et il est facile de se sentir *rapidos* hors circuit.

Pour goûter de nouveau à cette sensualité qui me manque tant, j'ai même songé à faire appel à une professionnelle du sexe. Puis, je me suis ravisé. Le sexe sans amour ne m'interpelle pas. C'est davantage l'affection qui me manque cruellement ; la chaleur humaine, la tendresse, les câlins et les gratouillis dans le dos, les envoûtements qui s'éternisent et les sentiments qui s'accentuent et se fortifient. N'est-ce pas que toute cette belle magie est réconfortante ?

Ici, une petite parenthèse pour ces hommes qui ne pensent qu'à la taille, celle de leur engin bien sûr, afin qu'ils se rassurent. Je parle de ceux constamment aux prises avec des complexes d'infériorité nourris par un environnement compétitif, de ceux qui s'inquiètent et angoissent au sujet de leur membre viril : « Est-il plus menu que celui de la compétition ? » Sachez qu'il y a tellement plus important ! Par exemple, le toucher. Le simple, délicieux et merveilleux toucher. Comme dirait l'autre : « Et la tendresse ?... Bordel ! »

Engourdi de solitude, je suis allongé dans mon lit. Sonia a placé son petit chien, Angie, au creux de mon épaule. Je sens la caresse de ses poils soyeux. Ça me rappelle ma vieille peluche prénommée Papoumme-vieux auquel j'ai été tant attaché, pour ne pas dire accroché ! Plus tard, je l'ai remplacée par les cheveux, l'affriolante crinière des femmes. J'aurai été le subordonné de mon toutou autant que du feuillage des femmes. Comme ça me manque...

Les infirmes sont-ils voués à l'écroulement, à la désillusion, à l'anéantissement du sentiment amoureux ? Je travaille fort pour m'y résoudre, mais ce n'est pas encore à point, bien qu'il flotte un parfum de résignation amère sur la question. Fort probablement, malgré mon état, je vais survivre encore un bon moment. Je préfère donc faire mon deuil de toute relation amoureuse et être relativement serein avec mon jeûne affectif et ma solitude sexuelle, histoire de ne pas trop en souffrir. Cela dit, si une rencontre extraordinaire se produisait pour apaiser ma soif d'amour, je ne dirais pas non. Ce serait une sacrée belle surprise ! Les corps esquintés abritent toujours la vie, *et tant qu'y a d'la vie...*

La belle correspondante

Ça s'est passé le 30 mai 2007, je m'en souviens bien car c'est aussi la date d'anniversaire de Fred. Lui et Anne étaient partis depuis le 1er mai, faisant de moi un nouveau célibataire. Ce jour-là donc, je suis invité au magasin Tendance-Concept, à Saint-Jérôme, l'entreprise où j'ai été coassocié avec Denis Cadieux et Robert Sigouin. Depuis mon AVC, Diane Commerford, l'épouse de Denis, a pris la relève et a fait de la boutique un endroit superbe. Pour présenter les fabuleux changements à la clientèle, toute l'équipe a organisé une « mégafête » à laquelle je suis convié à titre de membre cofondateur. Sur place est même organisée une collecte de fonds pour mon organisme. Durant les activités de la journée, Michel Turner, un ami, me présente une fort jolie femme. Avant de partir, celle-ci me transmet son adresse électronique et me demande de lui écrire. Je m'empresse d'acquiescer avec grand plaisir !

Chaque semaine, pendant plus de six mois, nous nous écrivons. Je peux mettre de cinq à six heures pour rédiger une seule lettre ! J'y consacre tout mon temps et tout mon cœur. Cette correspondance me fait découvrir le plaisir de ce mode d'expression et ses réelles possibilités pour bien communiquer. Fébrile et impatient, j'attends chacun de ses messages avec le cœur qui bat à tout rompre.

Forcément, j'ai développé un intense attachement pour cette femme, et cette flamme s'est embrasée en un fol espoir de connaître une relation amoureuse à ses côtés. Faut-il s'en étonner, elle a refusé de partager mon rêve. « Non, Benoît, m'a-t-elle écrit. Je ne veux pas combler le fossé que le départ d'Anne a creusé en te quittant. » Ça a été douloureux de lire ces mots...

Cela dit, j'éprouve un immense respect envers elle. J'ai conclu qu'il était bien naturel qu'elle ne veuille pas d'un amoureux dans mon état. Toutefois, il m'était impossible de poursuivre notre correspondance sans m'attacher plus profondément encore. J'ai donc dû prendre du recul. Puis, comme j'avais décidé de ne pas passer le reste de ma vie à être déprimé, j'ai commencé à faire le deuil d'une vie amoureuse. Toutefois, depuis mon AVC, j'ai connu trois déceptions amoureuses. Honnêtement, j'en ai gardé la peur de m'attacher et d'être blessé. Malgré tout, ça ne prend pas grand-chose pour que je m'emporte – un peu d'attention envers moi, et voilà mon calme relatif inévitablement chamboulé.

Il faut dire que dès qu'une personne nous fait briller les yeux, l'irrésistible pulsion de vouloir aimer et d'être aimé est difficile à contrôler. Il y a des enchantements, des envoûtements qui font effet bien malgré nous. Au fond, pour l'instant, je me contente de faire un demi-deuil de l'amour... L'espoir fait vivre !

SONIA

Des accompagnatrices, j'en ai eu des dizaines, et ma favorite reste Sonia. J'ai envie de vous raconter pourquoi, un peu comme si j'étais un reporter, un correspondant de guerre, et que je vous brossais le tableau d'un bon petit soldat !

Sur le même ton, c'est avec elle qu'il a été le plus facile, lors des tensions, d'un commun accord, de se prononcer pour l'arrêt des hostilités et pour l'ouverture des pourparlers. Une de ses grandes qualités, c'est d'être capable de régler une chicane sur-le-champ. On ne fait pas d'omelette sans casser quelques œufs et mon état est source de stress pour tout le monde, moi le premier ! Si une grande amitié est née entre nous, c'est grâce à quelques bonnes discussions ouvertes, sans tabous et honnêtes, qui nous ont permis de régler nos différends, comme un couple qui se parle pour avancer. Qu'est-ce qu'on s'en est servi des lettres e-s-a-r-i-n-t-u-l-o-m-d-p-c-f-b-v-h-g-j-q-z-y-x-w-k pour C-O-M-M-U-N-I-Q-U-E-R, même à bâtons rompus !

D'abord, le contexte. Sonia est arrivée une année avant qu'Anne décide de me quitter. L'atmosphère était tendue, il y avait péril en la demeure ! Bref, tout le monde était mal à l'aise. Anne voulait avoir une vie normale mais, vu les circonstances, c'était impossible. Et le tempo, c'était quelque chose ! On ne s'arrêtait jamais : le gros *rush* tout le temps. Je devais être levé et rasé de près tôt le matin et il y avait les compétitions de Fred, les activités, *go ! go ! go !* Dans mon état, ce n'est pas chose évidente. Bref, à travers tout ça, j'ai bien peur que Sonia y ait goûté un peu.

Sonia est une superbe jeune femme dans la mi-vingtaine, féline, avec des boucles blondes et des yeux bleu azur. Au moment où je dicte ces lignes, elle est enceinte et donc encore plus belle ! À son arrivée, cette jolie fille a créé des remous en moi, mais son apparence a été un bonus et non la raison de mon émoi face à elle. Le grand mérite de Sonia, c'est qu'elle aime véritablement son boulot. Elle a la patience qu'il faut pour communiquer à l'aide du tableau et des lettres de l'alphabet ; une disposition que tous ne possèdent pas.

Bref, notre relation particulière s'est développée grâce à sa capacité exceptionnelle de communication. Sonia a appris par cœur le système d'alphabet en trois jours ! Elle voulait ! Dans son travail, ce qu'elle désire avant tout, c'est de rendre son patient heureux. Ça passe, et de loin, avant les tâches ménagères ! Cela a d'ailleurs engendré des tensions et des conflits avec les autres préposées. On s'est amusés, on a badiné à grands coups de jeux de mots hilarants, on a même parlé en anglais pour faire changement ! Souvent, sur moult sujets, on a été du même avis et lorsque ça n'a pas été le cas, on s'est toujours respectés... Voilà ce que j'aime plus que tout : que l'on m'approche sur un pied d'égalité, et Sonia a toujours eu à mon endroit cette attitude gagnante.

Sonia est principalement une autodidacte. Elle a suivi une brève formation de préposée aux bénéficiaires qu'elle a abandonnée rapidement. « Les gens manquent de réel dévouement, ils ne sont là que pour se faire payer un cours par l'État et pour le salaire en bout de ligne, je ne suis pas à ma place dans ce cours-là. Moi, je veux faire une vraie différence dans la vie de quelqu'un qui a besoin de mes services... », m'a-t-elle confié. Vous voyez le topo ?

Elle est la seule qui soit parvenue à m'extirper des confidences. Elle me devine. Il lui suffit d'une phrase pour savoir que j'ai un malaise, d'un coup d'œil pour comprendre que mon chandail est mal placé et d'un soupir pour se rendre compte que je souffre d'un mal-être intérieur. Dans ce dernier cas, elle me talonne jusqu'à ce que je me confie. Par le fait même, je quitte momentanément ma solitude intérieure. Je vois alors dans ses yeux satisfaits que je lui offre ce qu'elle aime le plus : la confiance. Elle ne me prend pas en pitié – ce qui ne veut pas dire qu'elle minimise ma souffrance – et je ne la sous-estime pas à cause de sa jeunesse.

De fait, nous nous admirons mutuellement. Elle applaudit ma force de caractère, j'aime sa manière de défoncer mes portes. Elle voit bien que la vie bat à travers mon corps quasiment inerte, et je prends plaisir à côtoyer son dynamisme et sa vitalité. Elle affirme que je la ramène à l'essentiel. Bref, entre nous, l'ascenseur fait d'incessants allers-retours et nous nous apportons mutuellement, beaucoup.

Sonia n'a pas considéré son passage dans ma vie comme un travail, mais plutôt comme une riche expérience humaine. Et vice-versa ! Voilà les qualités essentielles pour quelqu'un qui accompagne un lourd handicapé : l'écoute de ses besoins affectifs, physiques ainsi que la capacité de lui offrir un soutien moral, car il est si facile de se laisser aller et sombrer. En effet, il est vital d'avoir des gens avec qui échanger, et bien sûr, ceux qui se mettent à l'alphabet pour communiquer avec moi me rendent la tâche nettement plus facile. Il faut y consacrer le temps voulu, lettre par lettre, être infiniment patient, car cet apprentissage peut prendre des heures et je sais bien que l'exercice n'est pas aisé pour tous. Cela su et dit, il n'empêche que j'apprécie, lorsque c'est possible, de cheminer avec une personne dans la ronde des lettres, des mots et des phrases. En plus de maîtriser la communication, Sonia a porté tous les chapeaux : préposée, accompagnatrice, amie, confidente, travailleuse sociale, psychologue, libératrice et *tutti quanti* !

L'incontournable zizanie

Enfermez deux êtres humains ensemble et, inévitablement, les tensions se pointent. Imaginez en rassembler trois, quatre, cinq et plus ! Et qui dit tension, dit défoulement et situations désagréables. L'être humain, à l'occasion, peut être jaloux ou envieux, selon moi, simplement à cause de ses insécurités et son manque d'estime personnelle. Ça crée quelques ratés dans les interactions, *of course* ! Ça craint ! Ça engendre des prises de bec décoiffantes et de douteux quiproquos. Ainsi, la présence de Sonia a provoqué un brasse-camarade que je comprends, car c'est humain, mais que je déplore.

Envieuses de notre complicité, certaines personnes lui ont dit, mesquinement : « On sait bien, toi ! Tu veux être la blonde de Ben ! » Bien que la remarque ait été, quelque part, un tantinet flatteuse à mon égard, elle n'en demeurait pas moins déplacée. Sonia m'aimait comme on aime un père, un ami, pas comme amoureux, bien évidemment !

Il ne faut pas oublier que non seulement je suis complètement paralysé, mais j'ai deux fois son âge ! En amis, on s'est souvent improvisé des sorties. Un soir, je pouvais l'inviter à une boustifaille au resto et, un autre, elle me rendait la pareille. Puis, elle a loué temporairement le *bachelor* attenant à la maison. Certaines préposées ont alors mentionné que le but « caché » de l'opération était de permettre à Sonia de les avoir à l'œil et de tout contrôler. Pourtant, nous tentions simplement de nous soutenir mutuellement.

À l'époque, la location de ce petit appartement est une source de revenus supplémentaires non négligeable, un autre outil pour m'éviter d'aller vivre en institution. Quelle belle expérience d'entraide: chacun de notre côté, nous vivions un deuil amoureux. Anne partie, je me suis forcément attaché à Sonia, et elle à moi. Tous les deux, nous étions suspendus dans un grand vide et on s'est tendu la main pour retomber de plain-pied dans la vie.

Cependant, nous ne l'avons pas eu facile. Dans notre entourage, certaines préposées ont réagi plus ou moins comme des divas. Plusieurs affichaient des airs de madone tout en tentant de reléguer Sonia au rôle de Cendrillon.

Plus d'une a tenté de montrer sa supériorité en faisant preuve d'un zèle ridicule. Pourtant, et je ne le répéterai jamais assez, j'ai beau apprécier un intérieur propre et ordonné: j'ai davantage besoin d'échanger avec mes pairs que de voir une madame Blancheville s'affairer en maniaque! C'est ce qui me rendait Sonia si précieuse. Elle n'a pas été une servante, mais bien une amie, une grande amie. Elle l'est toujours d'ailleurs. Et ce, même si elle vient tout juste de quitter son poste pour donner la vie et prendre soin de cet enfant tout neuf...

Mon baluchon s'est enrichi à son contact. Si je pleure ou si je suis de mauvaise humeur, elle s'assied près de moi, me caresse la main et attend que je dévoile mon jeu en me provoquant tout de même un peu.

« Comment ça va, toi? La vérité, rien que la vérité, mon Ben! *Go!* On part avec les lettres...

— Toi, Sonia, crois-tu à ça, le destin?

— Oui, Ben. Je voulais aider quelqu'un et je suis arrivée dans ta vie... Et toi aussi, tu m'as tellement aidée. Puis, regarde! Toi et moi, on l'avait imaginé, "ton" livre, et le voilà! »

Le destin... En ce qui me concerne, dur de dire si j'y crois ou non. Je penche davantage vers le « non ». Toutes ces questions sans réponses... Je me suis forgé une imposante carapace, bien sûr, Sonia a réussi à la percer. Notamment parce qu'elle ne banalise pas mes états d'âme. Là-dessus elle diffère de tous les autres qui se disent : « S'il pleure, je ne m'en occupe pas, je ne veux pas alimenter sa *victimite.* » Voyons donc ! Ils sont nombreux ceux qui, dans ma situation, verseraient quelques larmes, non ? Elles vont par roulement, et les fous rires, les sourires reviennent après coup, entre les coups de cafard. Ce que mon handicap m'a appris plus que tout, c'est de vivre sans masque aucun. Et ce, même et surtout si mon visage est plus figé que la moyenne. Comme quoi, les apparences...

La relation d'aidant-aidé est tissée serré ; il s'y glisse à la fois une apaisante et stimulante intimité teintée de multiples sentiments, parfois clairs et parfois obscurs, tantôt cristallins et limpides. Nous en avons parcouru tout le spectre et nous nous sommes rejoints dans la fusion des tons, notamment par une puissante intuition l'un vers l'autre. Par deux fois, alors qu'elle était à des kilomètres d'ici, Sonia a pressenti que ça n'allait pas. Et elle a eu raison !

Je me souviens d'un jour où les préposées n'étaient pas rentrées travailler. Il n'y avait personne au poste. Depuis le matin, j'étais là, figé dans ma chaise, sans eau et sans nourriture. La nuit a fini par tomber. Aux petites heures, habitée par un sentiment d'urgence, Sonia a quitté ses amis pour revenir au pas de course !

« Je suis là, Ben ! » s'est-elle écriée en arrivant. Dans pareille situation, des mots ô combien doux à entendre... « Je suis là. »

Son départ amène un nouveau deuil. Un autre ! Tout de même, je l'observe prendre son envol avec beaucoup de plaisir. Amoureuse et nouvelle maman, c'est un bien bel oiseau ! Elle a promis qu'elle viendrait souvent me voir, qu'elle me déposerait son poupon braillard sous le nez. Nous serons alors deux à déglutir péniblement. Sonia, fidèle à elle-même, fera tout son possible pour nous réintégrer dans une zone de confort.

Nos fous rires !

Souvent, en voiture, Sonia tourne son rétroviseur et regarde mes yeux, on discute ; ça n'est pas très prudent, je le sais. Surtout la nuit. C'est volontiers, dans ces moments-là, que l'envie me prend de lui raconter une blague ou de l'asticoter :

« Mets tes essuie-glaces ! »

Et Sonia mi-sérieuse, mi-offusquée rétorque :

« Veux-tu conduire, Ben ? »

« Toi pis ton corps d'athlète ! » me lance-t-elle souvent.

— Ouais, un *quart* d'athlète et trois quarts de gras ! »

Les taquineries, qu'est-ce que c'est bon !

Sans oublier ses beaux décolletés, hé ! Je regarde, bien sûr ! Elle s'esclaffe :

« *Coudonc,* Ben, t'as bien les yeux croches ! Bah ! Gâte-toi, mon Ben, saute-moi dessus si tu peux ! »

On en rit dans un heureux mélange d'autodérision et de tendresse. Ça va me manquer...

« Ben, je t'aime inconditionnellement, pour toujours. » Elle a juré de ne pas m'abandonner. Cette idée a de quoi faire rêver...

LES SYSTÈMES DE COMMUNICATION

De tout temps et à travers toutes les civilisations, l'humanité a eu recours à des codes, des systèmes de langage permettant d'appréhender le monde et de l'interpréter. Du berceau à la tombe, le langage est la clé pour se comprendre, s'apprécier ou s'exclure. Et notre époque lui voue un culte qui atteint des sommets. N'invente-t-on pas actuellement des techniques de communication redoutables ? Les gourous et *coachs* de la communication ne poussent-ils pas comme des champignons ? Et les meilleures stratégies ne se vendent-elles pas comme des petits pains chauds ? Que peut bien faire un « muet » dans pareille société ? D'emblée, ne sommes-nous pas réfractaires aux adeptes de la langue de bois ? Que dire d'une langue de béton, inerte ?

La transparence et la spontanéité passent forcément par la communication. Comment un « verrouillé » peut-il à nouveau communiquer ? Bienvenue à bord... Il s'agit d'un mode de navigation un peu casse-pieds, voire assommant pour certains car il faut tout réapprendre. Mais qui peut se passer de communiquer ? Personne. Cette vérité est encore plus criante quand vous êtes tétraplégique, que les autres sont vos bras et vos jambes, et que vous devez bien les guider...

Tout a commencé à l'hôpital. Anne me posait des questions auxquelles je répondais soit par un « oui », en regardant en haut, ou par un « non », en regardant de côté. Jusque-là, ça n'était pas trop compliqué ! Bien sûr, j'étais terrorisé de ne plus pouvoir m'exprimer naturellement et librement, mais je voyais qu'il était possible de m'en sortir. Toutefois, ma conversation se limitait à répondre par l'affirmative ou la négative.

J'ai communiqué ainsi pendant les trois mois qui ont suivi mon AVC. Le jeu de mots est facile: on se parlait pour un oui ou pour un non! Puis, on m'a transféré à l'Institut de réadaptation de Montréal où une orthophoniste m'a enseigné l'alphabet ESARIN, se basant sur l'ordre de fréquence d'apparition des lettres dans la langue française. Enfin, je pouvais « dire » des mots en les épelant, une lettre à la fois! Cet alphabet est celui dont s'est servi Jean-Dominique Bauby, l'auteur du livre *Le Scaphandre et le Papillon*.

Neuf mois après mon accident, de retour à la maison, le meilleur endroit pour vivre, j'ai tenté de reprendre, tant bien que mal, mon rôle de conjoint et de père. J'ai été maladroit avec Fred, car ni moi ni lui ne savions réellement de quelle manière reprendre contact. Aux yeux de Fred, le père tant aimé était devenu quelqu'un d'autre, voire un étranger. À ce moment-là, alors âgé de sept ans et en première année, Fred apprenait l'alphabet régulier.

Fine psychologue, Anne a cogité et trouvé un moyen pour que père et fils retissent un lien. Elle m'a proposé d'aider Fred à faire ses devoirs en nous installant tous les deux devant l'ordinateur! De fait, le lien s'est recréé. Frédéric a lui aussi appris à utiliser l'alphabet ESARIN et ça l'a même aidé à maîtriser l'alphabet traditionnel. Un autre lien s'est formé quand j'ai donné ma guitare à Fred. Sur l'ordinateur, à l'aide du logiciel *Word*, je lui ai donné son premier cours de musique. Puis, avec un ergothérapeute, j'ai appris à me servir d'un appareil de communication, le *Lightwriter SL 80* qui fonctionne par balayage. Au début, les seuls mouvements que j'arrivais à bien contrôler étaient ceux de la tête. Je pouvais donc activer l'interrupteur en appuyant mon front dessus. À l'aide de ce système, j'ai pu faire des phrases. Comme ça prenait un temps fou, Fred et moi avons créé une série d'abréviations pour simplifier et accélérer nos échanges. En voici quelques exemples : AA = Appelle un ami / BDE = As-tu beaucoup de devoirs ? / EEC = Est-ce que l'eau est chaude ? / QPO = C'est quoi le pointage ? / FBR = Fais de beaux rêves / QQC = D'après toi, qu'est-ce qui est *cool* ? / QÉQ = Dans quelle équipe joue-t-il ? / FS = As-tu fait du bon ski ? / MD = Veux-tu manger un dessert ? / VC = Veux-tu aller au cinéma ?

Un jour où il jouait un peu trop bruyamment avec une amie, je l'ai ramené à l'ordre en entrant le code « MN », traduction : « Moins de niaiseries, SVP ! » On en a tous bien ri ! Il n'y a pas à dire, quand on veut communiquer, la créativité est sans limites !

Environ un an et demi après mon AVC, j'ai enfin réussi à exécuter un petit mouvement contrôlé avec mon pouce droit, une sacrée victoire ! C'est à ce moment que j'ai expérimenté l'usage d'un ordinateur du nom de *Mercury* que j'active avec un petit interrupteur fixé à une orthèse sur laquelle repose mon pouce. Dans cet ordinateur, il y a le logiciel nommé *Speaking Dynamically Pro*, qui traduit mes mots, ma phrase, avec une voix synthétique. Donc, « je parle ». Et mieux encore, pour ce faire, j'utilise une voix de femme ! Au moment où j'ai reçu cet appareil, il n'y avait pas de belles voix d'homme disponibles en français. Je me suis donc habitué à utiliser une voix féminine. J'aime les femmes !

Une chose est sûre, les appareils de communication ont fait la différence dans la formidable relation que j'ai avec mon fils. Et mon pouce donne un fier coup de pouce, justement, à une relation... sur le pouce ! L'imagination, l'inventivité et la patience ont fait le reste. Selon moi, perdre l'usage de la parole s'avère l'une des pires mutilations. La vie, ça conte et raconte, ça chante, ça crie, ça s'alarme ou ça roucoule, ça remue les tripes, ça fait pleurer ou ça fait rire. Après le frisson ou le sanglot, le tremblement ou le bâillement, nous mettons en mots le moindre de nos soubresauts, de la griserie au dégoût. Les mots sont notre support pour traduire ce que nous vivons. Il en est de même pour l'être muselé et bâillonné. Impossible d'étrangler et d'étouffer l'expression. Impossible!

Communiquer est le défi majeur des personnes atteintes du LIS. Être compris n'est pas un luxe, mais une nécessité. Ça restera vrai tant et aussi longtemps que l'être humain sera un animal social et qu'il aura besoin de vivre au sein d'une meute. Différentes techniques développées en informatique rendent la communication possible pour les lourds handicapés. Ce n'est pas moi qui vais lever le nez sur les technologies. Là où la médecine ne peut rien pour moi, la machine vient, en partie, pallier la carence, le silence. Cela dit, c'est encore avec la technique de l'alphabet ESARIN que ça se passe le mieux. Toutefois, cette méthode implique que « l'autre » l'apprenne et la maîtrise. Et comme c'est un peu ardu, ceux qui s'y aventurent sont peu nombreux. Personnellement, il m'a fallu deux semaines pour l'apprendre.

De par mon état, j'ai retrouvé aussi quelque chose d'instinctif; quelque chose d'originel, d'animal, tel un grondement, un soupir qui enfle et s'extirpe de moi à la manière d'un nourrisson ou d'un chien qui hurle d'impatience quand il ne se sent pas compris. Un son qui ressemble peut-être à ceux des premiers balbutiements des hommes de la préhistoire lorsqu'ils se sont lancés dans l'art de se comprendre... Qui sait?

« Les animaux ont fait la joie de mon enfance. »p.18

Avec ma sœur Johanne et notre chèvre Lili.

*« À partir de là (1975), je vais étudier en musique et faire mille et un petits boulots jusqu' à la fin de la vingtaine... »**p.25*

« Le sport a été ma soupape, mon système de ventilation. »
p.27

« Depuis qu'il est tout petit, on a emmené Fred partout. »
p.92

J'ai gardé de mon enfance une passion pour les activités au grand air.

« Dopé par ma propre énergie, je veux juste relever les défis que je me lance, être au top du top de mon podium personnel. » *p.27*

« Parmi les trésors qui ont surgi dans ma vie, j'ai découvert l'importance de l'amitié... » *p.116*

« Mon père est un handicapé, pas un légume ! », parole de Frédérique. p.87

« Une chose est sûre: lesappareils de communication ont fait la différence dans la formidable relation que j'ai avec mon fils » p.111

… je vais parfois jusqu'à me dire : « beau bonhomme, va ! »… *p.114*

« Malgré tout, de ma prison de chair, je crois que la vie vaut la peine d'être vécue. » p.150

Et, bien sûr, j'ai appris à lire dans les autres. Aucune expression ne m'échappe et certains, au-delà des techniques de communication, arrivent à me décrypter. Il n'empêche, plus souvent qu'autrement, dans mon univers, chaque mot est tellement ciblé, choisi, et ça exige un tel effort pour le sortir tant il est pesé que toute spontanéité devient impossible. Ça, c'est le plus difficile...

Les métamorphoses

Verrouillé : que va-t-il se passer désormais ? On imagine bien les mutations exceptionnelles qui découlent de mon état. Je fige. Le monde, lui, continue de tournoyer dans sa transe et ses transports. La liste des pertes et des adaptations faisant suite à un *locked-in syndrome* est longue. La pire ombre au tableau concerne mon visage... Ce visage glacé à tout jamais.

Ça va de soi, on affiche un sourire pour les bonnes nouvelles et un visage stupéfait, estomaqué, une mine interdite, figée, pour les mauvaises. Or, que je jubile d'allégresse ou que je sois ravagé par la douleur : mon faciès ne bouge pas beaucoup ! Mon « autre » visage, celui d'avant, sur lequel on pouvait tout lire, fait désormais partie du passé. M'accepter, apprivoiser l'immobilité de mon visage, de ma « carte de visite corporelle », faire le deuil de mes mimiques faciales n'a pas été chose aisée. Au début, ça a été l'abomination totale, absolue, et elle a été immédiatement visible. Tout passe par notre physionomie. Tout !

Des preuve ? On dit bien que l'on montre enfin son « vrai visage », qu'on parle à « visage découvert », qu'une femme va le colorer, l'embellir. On dit de certains qu'ils n'ont pas un visage humain ou, au contraire, qu'ils ont l'air avenant, inspirant, attirant. D'autres individus, au premier coup d'œil, nous semblent indignés, sévères, sereins, colériques, embarrassés, tristes ou joyeux. Autant de perceptions liées à la simple lecture d'un visage. L'expression du mien est stable et immuable. On dit souvent qu'à elle seule, la posture d'un individu informe sur ses états d'âme. Que dire alors du visage ? Ça a été dur de m'y faire, à ce portrait... laminé.

Dans mon ancienne vie, je me considérais comme étant mi-physique, mi-cérébral. Désormais, je suis presque entièrement cérébral, pareil à un cerveau qui serait maintenu en vie dans un bocal rempli de sérum. Les parois de mon *tag* – de mon identité – sont en verre, lisses, dures et froides, sans vie.

Pendant longtemps, je ne peux m'y habituer. J'ai envie d'arracher ce masque qui me cache, *moi*. On dirait que j'ai reçu une *overdose* de botox ! Bien sûr, avec le temps, ma bouille ne vieillira pas beaucoup, mais ce *lifting* extrême est cher payé. Plus rien ne bouge et c'est trop pour moi. Et cette salive qui coule sans arrêt m'horripile au plus haut point. Quand je me vois baver comme un nourrisson, je panique ! Tant bien que mal, je tente par moult coups de tête de m'essuyer moi-même et, si je n'y arrive pas, je vais me cacher. Lorsque je mange, si une miette de nourriture tombe sur ma tablette, j'angoisse encore. Je veux qu'elle disparaisse sur-le-champ ! Ces représentations de moi-même m'insupportent. Alors, forcément, je fuis les miroirs. Je ne me regarde jamais. Jamais ! L'absence d'aspects agréables, attirants et esthétiques à mon propre reflet est trop accablante... Il y a là une rupture avec quelque chose d'essentiel.

Tout de même, à force de vivre avec cette image, il a bien fallu m'y faire tranquillement pas vite. D'ailleurs, rien ne va vite dans mon cas ! Sauf, à l'occasion, l'allure de mon esprit. Maintenant, ça va mieux. Avant de sortir, on me rase, on me coiffe et je risque un œil devant la glace où je vais parfois jusqu'à me dire : « Beau bonhomme, va ! » Je me force à faire des clins d'œil, des sourires, des grimaces... Ça assouplit ce masque, cette cagoule qui me sert de visage ; il devient alors un peu plus expressif, un peu moins figé, un peu plus allumé. Ceux qui me connaissent bien arrivent à lire en moi... C'est bien d'écrire un livre, mais c'est mieux encore d'être soi-même un livre ambulant qui se raconte continuellement et qui se referme quand il le veut bien... temporairement.

Parmi les autres avaries de mon corps, il y a la perte de la spontanéité. C'est ce naturel, cette aisance qui fait un style, notre style. Par exemple, serrer la main d'une personne qui vous la tend, donner une tape amicale dans le dos de quelqu'un, s'esclaffer en touchant l'autre, dire rapidement ce qui vous passe par l'esprit. Comme tous ces comportements désinvoltes sont savoureux et comme tout ça me manque ! « Tout ça », c'est la base. Bouger, parler, sans même y penser...

Maintenant, je suis coupé de cette base, déraciné, et je dois vivre avec la frustration de ne plus pouvoir m'exprimer naturellement. Je suis telle une marionnette qui, privée de fils et d'attaches, est incapable du moindre mouvement.

Il n'empêche, j'ai dû trouver de nouvelles façons d'articuler ce que j'ai à dire et de m'exprimer autant que faire se peut... Je ne le répéterai jamais assez : il faut s'adapter pour survivre. Voilà mon slogan, ma devise, mon cri de ralliement.

Explorer le monde

Parmi mes métamorphoses, il y en a de positives, eh oui ! Ambitieux programme que de trouver du positif dans mon état, direz-vous ! C'est vrai. Cependant, quand on cherche bien, on finit par en trouver. Et il vaut mieux s'y accrocher ! Sinon, gare à la déprime sévère, aux dégâts supplémentaires qu'elle cause à l'organisme et aux relations humaines.

Mon état m'a justement forcé à découvrir l'univers des relations profondes. Avant mon AVC, j'ignorais qu'il y avait autant de bonnes personnes, charitables et dévouées. Pourquoi attendre de vivre une tragédie d'une telle ampleur pour reconnaître et toucher du doigt et du cœur toute cette bonté ambiante ? Beaucoup m'ont démontré de la compassion, et leur empathie met un baume indescriptible sur ma tristesse et ma désolation.

Comme plusieurs d'entre nous, j'ai longtemps cru que j'étais éternel et invincible. Jamais je ne m'arrêtais pour goûter vraiment aux échanges avec mes proches. Je remettais aux calendes grecques les remerciements, l'expression de ma reconnaissance et de mon appréciation en me disant toujours : « Demain, j'aurai le temps de signifier à telle personne que j'ai apprécié tel geste, ceci ou cela, ou tel mot. Demain, je lui dirai que je l'aime... » J'avais tout mon temps ! Indestructible, invincible j'étais ! Pourquoi un malheur se serait-il abattu sur moi ? Moi qui n'avais jamais connu la défaite. Les événements tragiques, c'est toujours pour les autres, jamais pour soi. Jusqu'au jour...

Parmi les trésors qui ont surgi dans ma vie, j'ai découvert l'importance de l'amitié, et force est d'admettre que la camaraderie est souvent la plus fidèle, la plus viable et la plus puissante forme et expression de l'amour. Mes meilleurs amis sont pour moi des oreilles attentives durant les jours sombres, des hommes et des femmes avec qui je vis mes meilleurs moments. Ces personnes m'ont appris à aider à mon tour, à « donner au suivant ». Ces notions d'entraide et de solidarité, je les dois aux barreaux de ma cage et à ces êtres qui y faufilent les doigts par amitié et générosité.

Dire que, jeune homme, je me suis déjà permis un déménagement, seul, par métro et autobus ! Ainsi, j'étais certain que si je ne demandais rien à personne, en contrepartie, on ne compterait pas sur moi. Aujourd'hui je sais que lorsqu'il n'y a pas d'échanges ni de retours d'ascenseur, on demeure au rez-de-chaussée de la vie, dans le hall d'entrée... C'est confortable, *of course*, mais on ne connaît jamais la griserie de l'altitude ! Profiter de rapports humains de qualité, au fond, c'est le *top*.

PÉRIPÉTIES EN FAUTEUIL ROULANT

Si vous aimez l'imprévu et vivre dangereusement, le fauteuil roulant est, pour vous, un gadget indispensable. En fauteuil, tout est possible. Tout! « Avec Ben, on ne s'ennuie jamais », se plaît à dire mon ami Ati. La première leçon que j'ai apprise quant à mon état a été de ne pas avoir peur du ridicule... Et force est d'admettre qu'en effet, il ne tue pas! En voici quelques exemples.

Sonia travaille pour moi depuis un mois et des poussières. C'est un bel après-midi de printemps, la neige qui fond cédant sa place à plein de gadoue. Mon fauteuil roulant a été réparé et nous décidons d'aller faire un test routier. Ma vieille chienne Cléo, qui est alors à moitié sourde – aujourd'hui, elle l'est complètement –, nous accompagne.

Soudain, un gros camion-remorque s'amène dans notre direction. Sonia crie à Cléo de se ranger plus près du fossé, je tente moi-même de rediriger mon chien, et, ce faisant, ô malheur, je perds le contrôle de mon fauteuil! J'essaie de m'arrêter, mais ma chaise n'obéit pas, les freins s'obstinent à ne pas fonctionner! Et voilà mon véhicule qui bascule dans le fossé en me propulsant dans une matière où flotte un amas de reflux de fosse septique! Ouache! Je suis vraiment dans la merde jusqu'au cou! Un vol plané en fauteuil roulant, faut le faire!

Sonia tente de nous dégager, mon fauteuil et moi! L'attirail fait près de 200 kilos sans compter les quelque 90 kilos de mon corps. Ça fait lourd, alors que Sonia pèse moins de

50 kilos mouillée ! Elle patauge dans la merde avec moi, jusqu'à la taille. La pauvre ! Elle étrennait ses petites sandales printanières toutes neuves et toutes proprettes ! L'adrénaline dans le plafond, elle regarde mon visage égratigné et ensanglanté par des branches de sapins. Découragée, elle me lance :

« Bouge pas, Ben ! Je vais chercher de l'aide ! »

— Euh... Bouge pas ?

Du coup, elle réalise ce qu'elle vient de dire et en devient encore plus bouleversée !

Une voiture passe. À son bord, un de mes amis : ouf ! La vie est bonne ! Ils se mettent à quatre pour me sortir de là, par le fond de culotte. Un temps fou que ça leur a pris ! Je tente de leur expliquer de fermer le moteur du fauteuil pour faciliter les manœuvres, mais bon, le temps qu'on se comprenne... Finalement, on me ramène à la maison tout amoché, sale et égratigné. Sur le qui-vive, en silence, tout le monde m'observe, anxieux. C'est à ce moment que je pouffe de rire ! L'effet est immédiat ! Tous se détendent... Ça se passe toujours ainsi : il m'arrive un drame, on me regarde, et si je ris, c'est la rigolade générale. Il est 19 h. Le nettoyage et le bain se termineront sept heures plus tard...

Durant toute l'aventure, Sonia, qui est à mon service depuis peu, se répète : « Ça y est, je viens de perdre mon boulot. » De mon côté, j'angoisse en songeant : « Ça y est, elle va lâcher cet emploi. » Quant à Cléo, qui a été malgré elle l'instigatrice de la mésaventure, elle est saine et sauve et n'a jamais couru de réel danger. Une fois de retour à la maison, elle m'a lancé un de ses fameux regards énamourés, l'air de dire : « Qu'est-ce qu'on s'est amusés, aujourd'hui ! » Puis elle s'est mise à ronfler dans un coin...

Un jour, un cousin d'Anne, Marcel, m'annonce fièrement qu'il a construit une rampe d'accès chez lui. Quelle bonne idée ! Enfin, je peux le visiter ! Pour l'occasion, on a préparé une petite fête chez lui. On s'y rend donc. Sonia pousse le fauteuil et entreprend la montée : clic, clic, clac... On entend bien un craquement, mais bon... on continue. Deuxième craquement... Ça s'annonce de plus en plus mal, mais on poursuit. En plein milieu : CRAC ! Ça défonce complètement ! Nous voilà, Sonia et moi, affalés par terre sous un gros trou de la passerelle. « Marcel, Marcel... as-tu oublié de mettre des poutres de soutien sous la rampe ? » On imagine sans peine la stupeur de tous les témoins à la vue du désastre. Les regards se figent dans un silence de plomb. De nouveau, j'éclate de rire ! On en a ri toute la soirée, d'ailleurs. Merci pour ta rampe, Marcel ! L'important, ce n'est pas de gagner, c'est de participer.

Reste que les trois quarts du temps, quand je veux aller quelque part, la grande question c'est : « Oui, mais... et les fauteuils roulants ? L'accès, il est où ? »

Tout ça n'est pas si mal tant que ça se vit entre amis et que les déboires sont purement accidentels. En revanche, d'autres situations sont loin d'être aussi rigolotes. Tiens, j'en profite pour parler de ce qui est « *in* » avec les handicapés et de ce qui est « *out* ».

En société, il y a toujours des empêcheurs de tourner en rond. Pour moi, définitivement, c'est celui qui se gare dans les espaces réservés aux handicapés. Cet être-là est de trop et devrait disparaître de l'espace public.

Face à cet ennemi, c'est tolérance zéro. La révolte gronde... Un exemple typique ? Un homme a stationné son véhicule sur une aire destinée aux personnes handicapées. On s'arrête. On lui explique... Nonchalant, il nous regarde en tirant une bouffée de sa cigarette et ne bouge pas d'un poil. Un peu irritant, non ? Et qui donc va s'alarmer de ce manque de bienséance, de ces violences ordinaires ? Peine perdue.

Intérieurement, ça me fait sortir de mes gonds. J'élabore les pires scénarios de vengeance, et je passe secrètement un savon de mon cru à cet imbécile. Le dessin sur l'asphalte identifiant la section réservée n'est pas un graffiti à ce que je sache !

Je pourrais vous raconter tellement d'anecdotes. À l'hôpital de Saint-Jérôme, un concierge débranche accidentellement avec sa vadrouille une sonnette spéciale que j'active avec ma tête. Ne sachant pas comment la remettre en place, il se sauve sans prévenir personne ! Peu après l'incident, une amie arrive dans ma chambre et sonne l'alarme...

À l'Institut de réadaptation, je reviens de voir un film dans la salle de cinéma au sous-sol et, par inadvertance... on me laisse seul dans l'ascenseur. J'attends. Bien malgré moi, je fais plusieurs allers-retours, monte, descend, sur différents étages. Heureusement, quelqu'un comprend que je suis piégé. On finit par me ramener à ma chambre.

Il est aussi arrivé que mon fauteuil motorisé manque de puissance, « teuf-teuf » ; impossible de monter la côte qui m'amène chez moi. Dans ces moments, il ne me reste qu'à espérer qu'une bonne âme passant par là me poussera jusqu'en haut ! Je me souviens également d'un jour où je me suis trop penché pour activer et conduire mon fauteuil. Je suis alors resté plusieurs heures en bordure de la route, torse nu et en bermudas, en pleine saison des moustiques piqueurs ! Je vis dans les Laurentides ! On peut aisément imaginer la guerre des nerfs que j'ai vécue ! Être une proie si accommodante n'est pas de tout repos...

À l'occasion, je passe voir mon voisin et ami André, qui habite à un pâté de maisons de chez moi. Sans prévenir, je me rends chez lui. Comme il fait beaucoup d'activités de plein air, je le surprends souvent à l'extérieur. Mais, je me souviens d'un jour où il était dans sa maison. Bien sûr, il ne pouvait ni me voir ni m'entendre. Je suis donc resté seul, dehors, un long moment...

Je peux aisément comprendre que l'on ne devine pas toujours la bonne manière de réagir, d'agir et d'interagir avec une personne handicapée. La meilleure façon, c'est d'être naturel et d'aborder la personne infirme sur un pied d'égalité.

Rappel de civilité

Simple question de savoir-vivre, ensemble ! Lorsque vous voyez une personne handicapée en fauteuil roulant, sachez que le simple fait de lui ouvrir et de lui tenir la porte lui facilite la vie comme vous n'en avez pas idée ! Prendre du temps pour écrire, rendre visite, faire une activité avec une personne fragilisée ou simplement la saluer, et voilà, le tour est joué ! Vous venez de lui mettre un baume sur le cœur. En ce qui me concerne, spécifiquement, disons qu'en m'aidant et en permettant à d'autres de demeurer à domicile ou encore en vous impliquant comme bénévole dans un organisme comme le mien, vous contribuez à faire une énorme différence dans la vie des personnes handicapées.

En revanche, les gens comme moi détestent se faire infantiliser. Je pense en particulier à cette dame qui me répétait : « Ne reste pas au soleil, tu vas attraper le cancer ! Ne va pas sur le terrain, c'est plein de moustiques ! Ne va pas te balader dans la rue, tu peux te faire frapper. » Ouf, madame ! Arrêtez d'avoir peur d'avoir peur ! Il y a aussi tous ces autres qui, sur un ton de *mamie*, m'interpellent en me donnant un bec à la pincette : « *M'siiiieur* Benoît, comment il va aujourd'hui ? » Comme si j'étais un gamin. Ou d'autres encore qui me parlent lentement et fort, comme si j'étais sourd et débile : « BONJOUR MONSIEUR DUCHESNE, COMMENT ALLEZ-VOUS CE MATIN ? » C'est très agaçant ! Finalement, dans les attitudes à proscrire, notons celle d'un préposé qui ne rentre pas travailler et qui ne me prévient pas...

Le handicap est probablement la plus mal aimée des différences. Généralement, on ne veut pas de personnes handicapées autour de soi. En notre présence, les gens sont mal à l'aise et ils cherchent à nous éviter, préférant ne pas nous voir. C'est un jeu d'enfant que de regarder « au-dessus » d'un fauteuil roulant ! De minorité visible, nous passons régulièrement à l'invisible.

Je crois que c'est encore pire en ce qui concerne les maladies mentales. Dans mon état, on confond souvent les deux. La plupart du temps, les gens ignorent si je les comprends ou non. À partir du moment où ils se rendent compte que j'ai toute ma tête, ils relaxent ! Toutefois, ils craignent alors de ne pas savoir comment agir et d'avoir l'air idiot.

Ah, ce regard des autres... ce qu'il peut être lourd de conséquences ! Il passe de la pitié à l'admiration... Qu'il est courageux, cet homme ! Je préfère, et de loin, le point de vue de mes amis : c'est moi d'abord qu'ils voient, le handicap étant loin derrière. Je ne le dirai jamais assez : m'approcher sur un pied d'égalité en adoptant une attitude naturelle qui demeure conviviale et bienveillante.

D'UNE PRISON À L'AUTRE

Décembre 2007, prison de Sainte-Anne-des-Plaines... Nous sommes devant une audience bigarrée, formée surtout de jeunes hommes, à l'œil fier et à l'air tendu. Le conférencier – en l'occurrence moi-même – est aussi troublé que les détenus. De fait, personne ne sait trop à quoi s'attendre ! Le maître d'œuvre de cette rencontre est mon ami Ati qui donne des ateliers de méditation aux prisonniers d'institutions pénitentiaires. Il a eu la brillante idée de m'inviter pour partager avec les détenus mon expérience de la prison *via* mon *locked-in syndrome*, de faire un parallèle entre leur prison et la mienne : tout un défi ! J'ai accepté, d'abord par curiosité, puis parce que j'ai trouvé l'idée emballante. Je me suis aussi lancé par amitié pour Ati, impossible de lui refuser quoi que ce soit. L'idée est avant tout de parler de « détention » différemment, autrement, et d'aider ces hommes captifs à réfléchir et à relativiser leur détresse. Et ça a porté des fruits !

Le goût de la fuite, l'exclusion, l'incertitude devant l'avenir : je connais ! Durant ma première rencontre avec eux, pour parler de mon expérience et de la solitude, j'ai préparé ce texte :

« Quand j'ai écrit ces lignes, j'étais dans le flou... Votre type de prison m'est un monde totalement inconnu. Me voilà terriblement impressionné, vous vous en doutez bien ! Ati m'a demandé de faire un parallèle entre votre liberté relative dans une prison et moi qui suis prisonnier dans mon corps, mais libre d'aller n'importe où.

Mon nom est Benoît Duchesne. J'ai fait un AVC il y a sept ans, à l'âge de 43 ans. J'avais alors un fils de six ans et une *blonde* que j'aimais. Avant cet accident, j'ai eu la vie relativement facile. Mon AVC a été causé par un caillot qui s'est logé à un endroit précis dans mon tronc cérébral, situé au centre de la tête, sous le cerveau. Sans entrer dans les détails, ça a paralysé mon corps et l'a verrouillé sans endommager le cerveau. J'ai donc conscience de tout ce qui m'entoure et m'arrive, mais sans pouvoir intervenir. Cette situation tranche nettement avec mon ancienne vie où je me comportais en gars invincible et éternel qui tenait tout pour acquis.

J'aurais pu me révolter, bien sûr, mais ce qui me restait comme qualité de vie en aurait alors souffert et c'est moi le premier qui en aurait payé le prix. Cela dit, le petit bourgeois que j'étais a trouvé l'épreuve redoutable. Je n'étais ni habitué ni préparé à faire face à l'adversité. Cependant, au lieu de mettre le zoom uniquement sur les obstacles que sont la paralysie et toutes les autres modifications de mon corps, j'ai mis mon énergie sur les solutions de rechange qui se sont offertes à moi.

Il m'arrive malgré tout de me décourager. Par exemple, dernièrement, j'en étais arrivé à la conclusion qu'avoir une vie amoureuse serait aussi compliqué que d'avoir une vie professionnelle. Aussi, je me suis déjà considéré comme un boulet parce que je retardais ou j'empêchais ma conjointe de faire des activités. Dans ces moments-là, je me disais qu'il valait mieux être célibataire. Sauf qu'un jour, un ami m'a présenté une séduisante dame. Plutôt que de baisser immédiatement les bras et d'ignorer mes sentiments à son égard, j'ai commencé à lui écrire des courriels. En plus d'y prendre plaisir, j'ai découvert le potentiel de cette forme de communication. En moyenne, j'ai passé de cinq à six heures par semaine à écrire un seul message hebdomadaire à la belle! Je m'en suis fait une amie avec qui j'ai partagé des idées et des émotions, quelqu'un à qui j'ai retourné l'ascenseur... Moi aussi, je pouvais l'aider, l'écouter, la conseiller. En retour, cette expérience de don de soi et d'altruisme a contribué à renforcer mon estime personnelle, m'a aidé à me sentir mieux dans ma peau.

Y a-t-il moyen d'échapper à notre sort quotidien? Sommes-nous libres parce que nous ne sommes pas en prison? Pouvons-nous être heureux malgré les malchances qui nous accablent?

En ce qui me concerne, trois principales choses m'ont aidé. *Primo,* savoir m'entourer d'un bon réseau humain comprenant la famille et les amis, ceux qui viennent me voir et me distraire. *Secundo,* pendre la vie « un jour à la fois », vivre le moment présent! Mis bout à bout, tous les petits instants de joie font ma journée. Et je m'y accroche! Ça m'évite de cogiter trop longtemps, de jongler et de broyer du noir quant à mon avenir, au risque de me décourager. *Tertio,* garder espoir! Cela implique, notamment, d'accepter ce qui m'est arrivé. Ce n'est pas encore au point, mais j'y travaille! Aussi, je continue à souhaiter un jour partager l'amour avec une femme qui m'appréciera comme je suis, malgré mon handicap. Et surtout, surtout, j'espère toujours voir mon fils grandir... Perdre espoir, selon moi, c'est le deuil le plus pénible et le plus difficile à vivre, celui qui m'affecterait le plus. Chaque fois que j'ai momentanément cessé d'espérer, j'ai perdu le moral et l'envie de me battre pour continuer ma vie. Au creux de chacun de ces passages sombres, il m'a fallu retrouver un objectif et une raison de vivre.

Bien évidemment, ce qui m'est arrivé est désolant. En revanche, je songe souvent à ceux qui l'ont encore plus difficile que moi. Quand je regarde dans le rétroviseur, je constate que j'ai quand même vécu 42 années de pur bonheur, entouré de bons parents et d'amis fidèles. J'ai débordé de santé en plus d'être doté d'un physique et d'un visage agréables qui ont fait tourner quelques têtes féminines ! La vie a été bonne pour moi. Et je lui en suis infiniment reconnaissant.

Le bonheur se résume donc en la présence de bonnes personnes autour de soi, le fait de vivre le moment présent et celui de garder espoir... »

Lors de la deuxième rencontre, en mai 2008, nous avons visionné ensemble le film *Le Scaphandre et le Papillon.* Je leur ai écrit ceci :

« Salut les gars !

Je suis bien content d'être à nouveau ici avec vous, je souhaitais vivement vous revoir. Savez-vous pourquoi ? Vous m'avez impressionné ! Vous avez su créer une belle atmosphère de camaraderie. Même si on vous a privés de plusieurs libertés, vous gardez le moral. Et ça, ça n'a pas de prix !

Avant ma première visite, une prison, pour moi, était l'endroit le plus triste au monde. Si, aujourd'hui, je travaille sur un gros projet, celui d'écrire mon livre, c'est un peu grâce à vous qui avez influencé ma perception. Si je vous ai apporté de la force, vous en avez fait tout autant pour moi.

Dernièrement, mon attitude a aussi été influencée par ce film. J'aimerais que vous portiez une attention particulière aux mots utilisés dans cette grande œuvre. Les mots choisis pour décrire cette histoire sont parfaits, sans bavure. Ils sont un vibrant hommage à la plus belle évasion qui soit, celle de l'imaginaire. Une belle échappée à la portée de tous, peu importe la forme de notre prison... »

Quelle belle expérience que celle de prendre la parole « en dedans », entre les murs, là où il n'est pas toujours aisé de favoriser l'espoir dans l'accomplissement de soi. Quand je m'y présente, je fais attention à ne pas trop m'y préparer, à ne pas trop anticiper les échanges avec les détenus. Souvent, nos regards se croisent et ça en dit long, davantage qu'une brochette de mots. Mon état capte l'attention des prisonniers, bien sûr, mais également celle des gardiens. Comme si tous, à ce moment précis, d'un commun accord, refusaient de se laisser enfermer dans la cage de nos préjugés mutuels. Nos blessures se transforment alors en une force contagieuse! Cette magie est difficile à expliquer. Une chose est sûre, je ne suis pas très éloigné du monde intérieur de mes auditeurs, ni eux du mien.

Pendant quelques heures, nous avons visité et partagé nos cages réciproques. Au début de l'aventure, je me suis imaginé me retrouver face à de gros méchants tatoués de pied en cap. À ma grande surprise, j'y ai rencontré des gars simples, bien ordinaires, attachants et capables de compassion. Certains n'ont tout simplement pas eu de chance. Ça aurait pu être moi, vous ou n'importe qui d'entre nous. D'autres, conscients de leur cheminement douteux, tentent de corriger le tir avec sincérité, et d'autres encore ne s'aiment pas et vivent dans le ressentiment... Peu importe, durant un moment, on a fait front commun pour s'aider à survivre derrière les barreaux, tous types de gens confondus.

Il s'est passé quelque chose... L'un d'eux se lève et essuie spontanément ma salive qui coule, tandis qu'un autre, après la conférence, me lance avec une déconcertante justesse: « Moi, je vais connaître la libération conditionnelle à la différence de toi, Ben. » Du coup, il apprécie sa chance et me remercie de l'avoir mise en lumière.

À la fin de la soirée, on se faufile, Ati et moi, dans les couloirs froids de l'austère bâtiment. En avançant vers la sortie, j'observe les barreaux sur lesquels sont accrochés des tas de rêves brisés. J'ai soudainement hâte de me retrouver à l'air libre ! Il n'empêche, je reviendrai... Je les ai aidés et ils ont été attentifs à mon discours, sensibles à ma situation. Ensemble, on s'est payé, l'espace d'un instant, une évasion réussie !

Tout de même, d'ici là, vivement respirer un bon coup... dehors ! Ati est fier de son initiative !

HOME, SWEET HOME

Pouvez-vous imaginer un seul instant n'être plus maître chez vous ? Ça fout la trouille, n'est-ce pas ? Vous comprendrez mieux pourquoi je me défends bec et ongles pour réussir à y vivre et à y rester le plus longtemps possible. Chez soi, c'est le dernier rempart, le dernier retranchement, la dernière barrière entre soi et la folie du monde. C'est une oasis de calme entre soi et les nombreuses obligations qui nous font courir partout. Quand on l'a quasiment perdue, on saisit toute l'importance de ce refuge qui permet à l'individu de vivre selon ses libres choix, dans la sécurité et le confort de son espace intime. Je vous parle de toutes ces choses, ces détails – grands et petits – impossibles à recréer en institution. Vivre avec sa touche personnelle, tout le monde sait ce que c'est ?

Il fait toujours bon savoir que l'on a un chez-soi... L'enfermement est déjà suffisamment insupportable, puis-je le vivre ailleurs qu'entre des murs impersonnels, fades et quelconques ? Quand bien même je suis assigné à résidence, à tout le moins, que ce soit la mienne ! Je crois que ce ressourcement vécu dans son intérieur est ce qui nous permet de braver la cohue et de vivre convenablement les uns avec les autres. Qui aurait cru qu'un jour, l'homme que je suis, pardon, que j'étais, éprouverait un tel attachement à son nid ? Comme il est loin le travailleur acharné avec un emploi du temps chargé, « toujours sur une patte », qui partait tôt le matin et rentrait tard le soir, courait se doucher en tentant de ne pas se prendre les pieds dans son pyjama, repassait sa chemise, saluait les parents qui débarquaient avec leurs enfants à la garderie et arrivait fin prêt au bureau pour brasser des affaires. Et rebelote le lendemain.

Maintenant que je suis rivé à la maison comme un vieux clou sur une planche, le tempo a bien changé. Par contre, le décor, lui, est resté le même et il a encore le pouvoir de me rassurer et de m'apaiser. Depuis longtemps, je vis dans une nature qui m'a séduite. Des pistes de vélo de montagne s'étirent comme autant de rubans de l'autre côté de la rue. Au gré des saisons, elles se transforment en sentiers de randonnée pédestre ou de ski. Juste devant trône – ô bonheur – le lac Colette, telle une titanesque piscine... sans entretien ! Ce grand miroir d'eau est l'endroit idéal pour un bain de minuit magique ou pour apprendre à fiston à nager, jouer, plonger, sans oublier pour la baignade matinale qui ravigote ou pour celle du soir qui ragaillardit après une journée de travail dans la canicule. L'hiver, ce plan d'eau devient une patinoire, qui a agrémenté combien d'activités de Noël ! Quant à la maison, elle est simple, chaleureuse et accueillante. En son centre se trouve un foyer devant lequel il fait bon roupiller sur le divan en se laissant hypnotiser par le crépitement des bûches. Le toit cathédrale ajoute de l'espace et semble nous rapprocher de la voûte étoilée. En clair, je suis bien chez moi.

Ici et là sont exposées des photos de mes voyages dans l'Ouest américain et canadien. Fred et moi, Fred et Anne, nous trois dans une vie antérieure où tout était si simple ! Moi, debout, musclé, en grande forme... Assez de blues ! La nostalgie en soi n'apporte rien. Outre ces photos, on peut admirer un immense tableau représentant une libellule. Paraît-il que, chez les Amérindiens, cet insecte symbolise l'illusion des sens et incarne la transformation. On ne saurait mieux dire. Ses ailes miroitantes évoquent des temps féeriques. Bref, la libellule nous incite à nous rendre compte que ce monde n'est fait que d'apparences. Elle nous invite à voir au-delà, à ne pas s'y fier et à prendre du recul par rapport à nos perceptions sensorielles. La libellule est toute désignée pour moi ! Transformation, vous dites ? On dit encore que si vous voulez transformer quelque chose dans votre vie, il faut vous inspirer de son énergie...

Et puis, chez moi, il y a Cléo ! Ma vieille et fidèle golden, née en avril 1993.

Son nom est un diminutif de Cléopâtre car, lorsqu'elle était bébé, elle avait un museau très long, effilé. La première fois que je l'ai amenée à la maison pour la présenter à Anne, elle n'avait que trois semaines et tenait dans la paume de ma main ! Comme Anne n'avait pas été élevée avec des animaux, elle avait peur de se faire mordre par cette adorable petite boule de poils.

À vélo, en forêt, sur les chemins tortueux de la région, sur la neige, partout, Cléo m'a accompagné. Moins dans l'eau, car lors des baignades, elle a la fâcheuse habitude de vouloir nous sauver ! Elle s'agrippe à nous, nous égratigne, nous mordille, obsédée par son devoir – croit-elle – de nous ramener sur le rivage. J'appréhende le jour où je la perdrai.

La sécurité

Plusieurs s'inquiètent pour ma sécurité. À ce sujet, voici une anecdote rigolote... après coup ! L'automne dernier, vers deux heures du matin, mon alarme se déclenche par inadvertance, sans que je m'en rende compte. Ce système, relié à une centrale, transfère illico l'appel à la police et aux ambulanciers. Sans comprendre ce qui se passe, je me réveille aux petites heures. Ma fenêtre est ouverte et j'entends des gens murmurer. J'ignore que ce sont des policiers. J'entrevois seulement les éclairs furtifs des lampes de poche qui ratissent le terrain près de la maison. Puis, je réalise que des gens tentent par tous les moyens d'entrer. Soudain, et il est temps, ils s'identifient comme des policiers en me disant de ne pas m'inquiéter. Ouf ! Tant mieux ! Mais je ne suis pas au bout de mes peines.

Une fois à l'intérieur, ils sont là, debout au pied du lit, et ils braquent leurs lampes sur moi. Le plus nerveux d'entre eux me fout les jetons ! « Va-t-il me tirer dessus parce que je ne montre pas mes mains cachées sous la couverture ? » Un peu désemparé, ne pouvant communiquer avec moi, tout le monde s'observe et attend... Finalement, les ambulanciers arrivent et veulent m'emmener à l'hôpital. D'abord, ils prennent mes signes vitaux et voient que tout est normal. Ils arrivent à comprendre la différence entre un « oui » et un « non », et que non ! je ne veux pas aller à l'hôpital ! Ils partent et je peux enfin me rendormir. Dans un premier temps, j'ai eu peur qu'il s'agisse de malfaiteurs et, ensuite, j'ai craint la réaction du jeune policier stressé ! Cela dit, pareille mésaventure n'enlève rien à mon désir de continuer à vivre chez moi.

D'autres arguments

Parmi les avantages qu'il y a à vivre chez moi, je pense à la visite d'un intervenant du CLSC, deux fois par semaine, pour mes exercices. Ce service n'est pas disponible en institution. Imaginez le peu de muscles qui me collent encore au squelette... Les laisser s'atrophier davantage pourrait être catastrophique, car le manque de support musculaire entraîne des douleurs, particulièrement au dos. Aussi, si j'étais en institution, ma période en position assise s'en trouverait réduite, ainsi que mon temps passé à l'ordinateur, ce qui limiterait sérieusement mes possibilités de communiquer, sans compter que je devrais me passer d'Internet. Vous pourriez, vous ?

Chez moi, ça signifie aussi que je décide de ce que je mange, que je fais les menus et les courses. D'ailleurs, j'adore ça ! Et, parmi les arguments les plus importants, il y a le fait que ma maison n'est pas loin de chez Fred. On peut donc se voir plus souvent, et ce, dans un environnement « normal », moins déprimant qu'une chambre de bénéficiaire. En me voyant résister, voire m'obstiner à vivre à domicile, mon fils conclut que je ne choisis pas la voie de la facilité, mais plutôt celle de mon intégrité. Ce n'est pas rien ! Et, finalement, je suis trop jeune pour jouer au bingo ou aux cartes et autres plates activités d'institution !

Toute cette « liberté » monopolise des ressources, notamment les essentiels préposés. Le travail se divise en quatre volets : les soins, les tâches culinaires et ménagères, les courses et l'accompagnement dans mes activités. En ce qui me concerne, un bon préposé doit être capable de créer une ambiance agréable dans la maison autant que d'effectuer correctement ses tâches. Pour ces accompagnateurs, le boulot doit être davantage qu'un simple job, ce doit être une vocation ! Par exemple, ceux qui se déclarent malades parce qu'il fait beau ne sont guère à leur place. Je me retrouve alors seul et je dois demander à quelqu'un d'autre de remplacer l'absent, ce qui use l'énergie de toute l'équipe. En effet, celle-ci ne peut compter, contrairement aux infirmières d'une grande institution, sur une substantielle liste de rappel. Bref, le préposé doit sentir qu'il fait partie de la famille, comme si j'étais son père, plutôt que de « faire des heures » pour avoir un chèque.

Un jour, et je n'en suis pas fier, j'ai carrément foncé en fauteuil roulant sur une préposée. J'avais besoin d'elle et elle faisait exprès pour m'ignorer. Comment attirer alors son attention ? Pour justifier cette solution extrême, je plaide presque une sorte de légitime défense... de mes besoins ! « Légitime défense, monsieur le juge ! Déjà que l'accusé est sous verrou... »

AU QUOTIDIEN

Certains peuvent se demander à quoi ressemble une de mes journées typiques. Suivez le guide...

Comme je suis matinal, je me réveille dès 5 h. Le premier préposé arrive trois heures plus tard. Durant ce temps, je planifie, j'organise, je mémorise, je rêvasse, je fabule et je fantasme ! Sur quoi ? Hum... ça varie beaucoup ! Des fois, j'escalade l'Everest ou je participe à une remise de médailles sportives où Fred est à l'honneur. À d'autres moments, je m'imagine au bras d'une jolie femme, d'une déesse ! Mon imagination m'entraîne également au resto de mon choix, sur les pentes de ski de n'importe quel flanc immaculé de montagne, au volant d'une voiture de rêve et que sais-je encore ! En redescendant sur terre, je pense à mon organisme caritatif, à ce que je pourrais faire pour l'améliorer, par exemple. Puis, je planifie ma journée : y a-t-il des urgences ? Une facture qui traîne, un transfert d'argent à effectuer, la recherche d'un employé pour le week-end...

L'employé arrive, et de 8 h à 10 h, c'est le lever et les soins d'hygiène : bain, barbe, coiffure, etc. À la suite de quoi, de 10 h à midi, je déjeune, eh oui, me nourrir, c'est long ! De midi à 13 h, je lis mes messages électroniques sur mon ordinateur. S'il y a des urgences, je les règle sur-le-champ, sinon le temps va me manquer. Entre 13 h et 16 h, c'est l'heure de la grosse activité. J'ai le choix : cinéma, pique-nique, encourager Fred dans le cadre d'une activité sportive, visiter quelqu'un, faire des courses, passer des entrevues pour dénicher une perle rare comme préposé, etc. Entre 16 h et 19 h, je suis à l'ordinateur; il me faut plus de huit heures pour écrire quelques lignes! L'ordinateur a changé ma vie. Auparavant, je n'étais pas un fana de la chose, mais maintenant, c'est un outil essentiel à ma vie! Entre 19 h et 21 h, je soupe. Et finalement, entre 21 h et 22 h, commence l'opération dodo comportant toute une liste de tâches: prendre mes médicaments (des régulateurs de lipides, de la circulation sanguine, de la digestion, des selles ainsi que des antispasmodiques), brosser mes dents, me transférer au lit sans oublier de recharger les piles de mon fauteuil motorisé et de mon ordinateur.

De fait, je pense ma journée de la même façon qu'à l'époque où j'étais directeur des ventes. D'abord, je gère les priorités pour accroître ma productivité. Par exemple, mémoriser les messages et les petites annonces à faire. Ensuite, quand ces obligations sont réglées, je me permets de passer aux activités plus plaisantes.

Si un préposé n'entre pas travailler, comme c'est déjà arrivé, voici quelles en sont les conséquences: me passer de boire et de manger m'occasionnera de l'irrégularité intestinale, notamment de la constipation, mon sac urinaire de jour débordera au cours de la nuit alors que je serai dans mon fauteuil roulant plutôt qu'étendu dans mon lit, je vais avoir froid, car je ne serai pas couvert, bref, vous en conviendrez, je serai plutôt inconfortable... et en beau fusil! Cela dit, totalement spectateur de la scène, je serai impuissant...

QUELQUES RÉFLEXIONS

« Faut réfléchir, mon vieux... » Ça m'est arrivé déjà de me dire ça. En 1984, à l'âge de 27 ans, après mûre réflexion, je décide d'arrêter de jouer de la musique. Fatigué, claqué par la vie dans les bars, j'en ai assez de me coucher aux petites heures, de travailler tous les week-ends et, surtout, d'être constamment fauché. Je prends donc quelques mois pour réfléchir et me refaire une santé. Un ami m'héberge, ça me laisse tout le temps et le loisir de repenser ma vie. J'en profite pour jogger et jouer au tennis à fond ! Ce calme qui suit le tsunami d'endorphines m'aide à prendre les grandes décisions qui s'imposent. D'abord au collège, puis à l'Université McGill, j'ai étudié en musique. Je ne connais que ça ! Et, jusque-là, je ne voulais rien savoir d'une hypothèque à payer, d'avoir des mômes et de « rentrer dans le système ».

Dois-je retourner sur les bancs d'école ? Pas trop envie... J'ouvre le journal et parcours les petites annonces, à la suite de quoi je déniche un job de vendeur dans la rénovation. Une seconde carrière débute pour moi dans une boutique locale d'armoires de cuisine. J'apprends à les commander et à les installer. De fil en aiguille, je circule dans ce milieu jusqu'à me retrouver, en 1995, directeur des ventes chez Tendance-Concept, un magasin haut de gamme, à Saint-Jérôme. C'est là qu'a pris fin abruptement ma trajectoire professionnelle. Bien évidemment, je ne travaillerai plus. Ai-je fait mon deuil d'une vie de citoyen actif ? Pas vraiment, car j'essaie d'adapter mes connaissances à ma nouvelle vie. Et si, avec mon bagage, je peux conseiller quelqu'un : j'accours – j'y roule – avec plaisir ! Je donne au suivant...

Durant ma vie antérieure, j'ai carburé à l'action. J'étais à mille lieues d'avoir une nature contemplative. La sérénité tranquille, je ne connaissais pas ! J'étais toujours trop occupé pour partager mon temps avec les autres et il était difficile de me déprogrammer. Comme j'étais davantage dans le « faire » que dans « l'être », j'ai perdu tous mes acquis après mon accident, et mon scénario de vie a littéralement explosé ! Dans mon corps, dans mon portefeuille, dans ma tour, j'ai vécu mon 11 septembre.

J'ignorais que j'avais reçu le don de la résilience. D'où me vient cette capacité à rebondir ? De ma mère sans doute. Sans cesse, elle me répétait que ça prenait du caractère pour surmonter les épreuves. Dans le temps, je la trouvais un peu enquiquineuse avec ça. Aujourd'hui, c'est l'occasion de lui montrer que j'ai bien appris la leçon. Quand même... Comme ça a été douloureux de mourir au « moi connu » et de devenir l'ombre de moi-même, un zombie, un mort vivant, un exclu. Je suis mort à tellement de réalités ! À mes désirs de contrôler ma vie, à mes plaisirs, à mon goût de l'action et du mouvement, à une certaine superficialité aussi, je ne m'en cache pas. J'ai eu peur de l'ennui et j'ai été terrorisé par cette mise en esclavage complète, par la destruction inéluctable de l'homme que j'ai été. Pendant près de huit ans, la tristesse, la frustration, un sentiment d'injustice et de colère ont gouverné ma vie. Comment renaître à d'autres aspects de ma personne et m'éveiller ? Je commence à peine à envisager autrement ma nouvelle vie, à m'y ouvrir avec ce que j'ai et non ce que je n'ai plus... Dans mon *no man's land*, mes illusions se sont éteintes une à une et, parmi elles, c'est surtout l'illusion de l'acquis qui a pris le bord. Bonjour la vulnérabilité ! Tout ce que l'on croit être immuable peut basculer à la vitesse grand V. Comme beaucoup d'entre vous, je n'étais pas doué pour affronter la défaite. Les événements tragiques, c'était pour les autres, pas pour moi.

Avant ma plongée, le pire qu'il m'était arrivé était d'avoir fait tomber Fred sur l'asphalte. J'avais attaché son kart derrière mon vélo, ayant pris trop de vitesse, mon petit bonhomme avait perdu le contrôle. Quand il s'est relevé de sa fouille, tout égratigné, il pleurait. J'ai dû le réinstaller sur son bolide pour le ramener le plus vite possible à la maison. Chez nous, Angela, une amie d'Anne, lui avait apporté, sans savoir ce qui se passait, bien sûr, une réplique miniature du kart! Voilà le genre de drame auquel j'étais habitué.

AUJOURD'HUI, LE VRAI, LE PIRE ABSOLU M'EST ARRIVÉ

S'adapter

À l'hiver 2002, au mont Habitant, par une froide journée ensoleillée, on m'a attaché dans un traîneau derrière un patrouilleur et j'ai fait trois descentes. J'avoue, c'était décevant. Après avoir goûté l'ivresse d'une *vraie* descente en skis et la liberté de sauter sur les bosses de mon choix, me retrouver assis dans une luge adaptée sur la piste familiale à une vitesse sécuritaire n'a pas été bien excitant. Pas affolante, non plus, ma tentative de faire construire un véhicule bizarre à partir d'un vieux véhicule tout-terrain muni d'un siège d'auto de course. J'avais espéré que des randonnées sur ce drôle de machin deviendraient une activité familiale, mais ça n'a pas fonctionné. Ni Anne ni Fred n'ont eu envie d'essayer. J'ai eu l'impression que le mauvais sort continuait à s'acharner sur moi. Un autre échec à essuyer, d'autres doutes faisant vaciller ma confiance en moi-même. Maintenant, je comprends davantage que ces périples peuvent être lassants pour les autres, car c'est beaucoup d'organisation que de faire bouger un grand handicapé comme moi. Et on sous-estime souvent les efforts que cela exige.

Malgré ces flops, j'ai bénéficié de l'altruisme et de la bonté d'autrui. Par exemple, un printemps, amis et voisins se sont mis à plusieurs pour me construire une rampe d'accès. Du temps et de l'énergie pour m'aider, il y en a eu beaucoup. Et tout ça *gratos* ! Quand je regarde l'émission *Les Anges de la Rénovation*, je suis bien placé pour comprendre l'émotion des bénéficiaires. Ce ne sont pas que les bouts de planches munies de clous qui les bouleversent, mais toute l'énergie et la bonne volonté dégagée par ces anges. Je me considère comme étant un témoin privilégié de telles expériences humaines.

J'apprécie à sa juste valeur chaque moment de qualité partagé avec les autres. Et les mauvais aussi ! Après leur quart de travail, les préposés retournent chacun à leur vie normale. De mon côté, ma qualité de vie dépend beaucoup de leurs humeurs. Ainsi, si la personne de jour a passé son quart de travail en rogne et si celle du soir n'a pas envie de jaser, je vous laisse deviner quelle sorte de journée je passe !

Un rappel

Les handicapés rendent beaucoup de gens mal à l'aise. Certains ne savent plus où se mettre en leur présence et préfèrent s'en tenir loin ! Calmons-nous, tous... Les bigarrés, les disparates – en clair les distincts – sont bel et bien là. Ils ont leur place. Prendre le temps de les connaître est un bel entraînement pour contrer la peur viscérale de la différence. Si vous rêvez d'habiter dans un patelin sûr à 100 %, emmurés derrière vos systèmes d'alarme et si vous craignez les nouvelles, les méfaits, votre voisin, les jeunes, les tatouages, la griserie d'une expérience hors norme, le réchauffement de la planète et si vous avez toujours peur de l'échec, de vieillir, de la maladie, de manquer d'amour, d'argent, bref, si vos hantises vous mènent, vous passez à côté de quelque chose. Vivez, que diable ! Sans toujours penser aux conséquences, aux lendemains, aux « tout à coup il arriverait un imprévu... » Je vous le demande, que vaut une vie sans risques ?

Le moment présent

Je ne veux pas dire de ne pas économiser pour ses vieux jours ou de ne rien planifier pour le lendemain. Je veux plutôt dire qu'à force d'être démesurément anxieux pour le futur, on oublie de vivre le moment présent. Je crois en ma vie actuelle. C'est la seule que je suis certain d'avoir, la seule que je peux explorer, ici et maintenant. Et ce, même si je me sens barricadé dans une armure ou enterré dans le sable, à la plage, avec un tuba dans la bouche pour respirer. Bien sûr, je pourrais faire le choix de ruminer *ad nauseam* : « Ah, le méchant tour que la vie me fait là ! » Faire une avalanche de reproches à l'existence, ça changerait quoi ? J'ai décidé de faire le maximum avec ce que j'ai, aujourd'hui. Ronfler sur ma vie n'a jamais été mon genre.

À la manière de *Gatsby le magnifique*, je me suis créé cinq attitudes d'or : mes relations humaines doivent loger à l'enseigne du respect ; je dois vivre intensément ; savourer le moment présent ; apprécier le positif que la vie m'envoie ; ne jamais me permettre d'être « ordinaire » et rompre avec la médiocrité. À partir de là, beaucoup de petits miracles sont possibles, même pour moi ! Imaginez pour vous, les valides...

S'il y a une chose que nous ne pouvons arrêter, c'est bien l'écoulement du temps. Que faire en attendant ? S'engager à le passer le mieux possible. Cela vaut même pour moi qui vis en marge, du moins tel que la majorité le conçoit, c'est-à-dire comme une course contre la montre, un rallye durant lequel on se concentre toujours sur la prochaine étape et non sur le paysage qui défile.. Mes journées s'étirent parfois comme du chewing-gum, c'est vrai, mais je m'y suis habitué et j'ai appris l'art de capter l'instant au vol. On a tous des occasions à saisir, des rendez-vous et des rencontres. Il ne faut pas les louper. D'ailleurs, ce livre est un rendez-vous, une invitation à vous faire reconnaître et apprécier votre chance. Si j'y parviens ne serait-ce qu'un peu, ma vie et mon épreuve auront un sens... Dommage de devoir traverser de telles tragédies pour prendre conscience de l'importance de ce que l'on a, des différents cadeaux de l'existence, mais ça, c'est humain. Juste humain. La vie est trop importante pour passer son temps à se plaindre pour des pacotilles.

Loin de moi l'idée de vous dire que vivre avec le LIS est facile ou confortable ! Rien n'est moins vrai. Être grabataire et à ce point dépendant, soumis, n'est pas une sinécure. Physiquement, je ne souffre pas, mais certains jours, je pédale fort pour garder le moral. Même si je me suis trouvé une responsabilité sociale, celle de motiver les troupes, je suis une personne endeuillée et beaucoup plus triste qu'avant. Une chose est sûre, l'humour allège le drame. Par exemple, lors d'une journée de golf bénéfice pour le financement de mon organisme, j'ai vu la D^re^ Beaudoin frapper ses balles bien maladroitement, à la suite de quoi, dans la soirée, devant l'assemblée, je lui ai épelé : « Docteure, pourquoi ne pas avoir pris un de mes médicaments anti-spasmes musculaires ! » Tout le monde a pouffé de rire ! Être capable d'autant de dérision est une véritable libération ! Et c'est rassembleur.

Pas un saint ni un héros

Ah, les honneurs ! Le regard que les gens posent sur moi est un mélange de pitié, d'admiration – « Quel homme courageux ! » – et de « Fiou ! Une chance que je ne suis pas comme ça ! » Ce n'est pas du courage, car je n'ai cherché ni appelé une pareille expérience. Je l'ai subie et, dans mon cas, il n'y a pas de super héros qui tienne. D'ailleurs, depuis que je suis en fauteuil roulant, les hauteurs me donnent des sueurs froides ! Ne plus me sentir *groundé* me terrifie ! On est loin du géant ; c'est plutôt à la manière de David contre Goliath que je défie la vie. Sans vouloir être redondant, je le répète : je ne suis que le « p'tit gars malchanceux ». Sans aller jusqu'à dire que l'univers désigne des boucs émissaires ou que les dés sont pipés d'avance, selon moi, la vie est aussi une loterie.

Une étape à la fois

Mes amis vont au-delà du handicap et me parlent des vraies affaires. Quant à moi, je m'ouvre pour la première fois à travers les pages de ce livre. Il sera sûrement un tremplin pour aller plus loin et me « livrer » encore plus...

Mon fils va en apprendre un peu plus sur mes angoisses. Parmi celles-ci, je continue à m'interroger : Fred, dont je suis si fier, fait-il ses prouesses sportives uniquement pour me faire plaisir ? Ceci alors que, de mon côté, je m'oblige à être une sorte d'athlète de la résistance ? Que de questions ! Et que de réponses à venir... D'ici là, je poursuis ma vie d'homme tout-terrain qui s'adapte pour survivre.

Je m'en voudrais de passer sous silence une petite mise en garde. Les manipulations cervicales faites par un chiropraticien sont une des causes possibles du syndrome de verrouillage. En se faisant craquer le cou, un individu ayant une lésion préexistante dans le tronc cérébral risque l'irréparable. Plusieurs l'ont appris à leurs dépens.

Voilà. Tel un alcoolique en rétablissement, je vis un jour à la fois. Pour l'instant, je suis résigné à vivre avec mon état.

Peut-être qu'un jour, je l'accepterai complètement et sereinement. J'y travaille ! Je suis à la veille de gagner cette étape. Du moins, je le crois.

ÉPILOGUE

Peut-on mesurer le bonheur, et si oui, de quelle manière? Stocké dans ma mémoire quand je suspends mon réel, il y a bien, les soirs de blues, un flot d'images qui me rattrapent. Elles me servent de baromètre pour mesurer le septième ciel de ma vie...

Printemps 2000, un vendredi de la fin du mois d'avril. Anne et moi sommes en route vers Toronto. Je vais rencontrer un client afin de concevoir une ébauche de sa nouvelle cuisine, en noter les dimensions et créer le futur décor. Parallèlement, j'ai un très gros projet dans les Laurentides, un autre à Dorval ainsi qu'à Winnipeg et à Los Angeles. Je flirte avec l'idée de m'installer à Las Vegas, capitale mondiale du jeu et des néons, et de marcher sur la Strip en faisant des affaires ! Ma douce est heureuse de ce petit voyage dans la Ville-Reine, car elle pourra passer du temps avec sa grande amie Angela.

Au condo d'Angela, le surlendemain au matin, il est 7 h. Je suis le seul debout tandis que ma famille roupille. Sur le toit du building servant de terrasse, allongé au soleil, je relaxe. Je viens de parler à mes parents avec mon téléphone portable et, en raccrochant, je me dis, non sans une certaine fierté : « Ti-Jaune, t'en as fait du chemin depuis ta campagne natale... » Je suis heureux. Les dimensions amoureuse, familiale, professionnelle et sociale de ma vie ont le vent dans les voiles...

Rien n'est ordinaire. Difficile, en voyant mes yeux vifs, mon sourire satisfait et mon énergie de conquistador, d'imaginer les stupéfiantes épreuves que je devrai traverser quelques mois plus tard, dont 16 mois sans boire ni manger de manière autonome. Difficile d'imaginer le drame qui se prépare pour la journée du dimanche 20 août de l'an 2000. Comment prédire qu'en plus, six ans plus tard, jour pour jour, le dimanche 20 août 2006, ma coéquipière, celle-là même qui rêve avec moi au dernier étage de ce gratte-ciel torontois, m'annoncera qu'elle n'est plus amoureuse et qu'elle a décidé de me quitter. K.-O., au tapis ! Depuis, je me relève, soit, mais la bataille n'est pas gagnée.

Malgré tout, de ma prison de chair, je crois que la vie vaut la peine d'être vécue.

Commençons-la par le début, autrement dit, par aujourd'hui...

L'ORGANISME BENOÎT DUCHESNE

Quand il nous arrive pareille épreuve, après le choc, il vaut mieux « se magner » si vous me passez l'expression. C'est le moment où jamais d'explorer toute sa créativité. Un soir, nous étions plusieurs amis à la maison à nous triturer les méninges : « Que peut-on faire, concrètement ? » Le LIS et le maintien à domicile pour ses victimes sont encore des réalités méconnues. Pourquoi ne pas diffuser l'information en créant un organisme ? On peut immobiliser physiquement un homme d'action, mais ça ne signifie pas pour autant qu'il baisse les bras et que son esprit se sclérose.

À mon retour chez moi, au terme de neuf mois d'hospitalisation, le gouvernement m'a offert une aide financière pour adapter ma maison à la circulation d'un fauteuil roulant et pour rendre mon transport possible à bord d'un véhicule. Ma famille et mes amis ont aussi uni leurs forces pour exercer des pressions auprès du CLSC afin d'obtenir un soutien financier pour payer du personnel qui serait chargé de s'occuper de moi. J'ai fini par obtenir cinq heures d'assistance à domicile par semaine et une aide financière évaluée à 7 $ l'heure pour 37 heures de soins par semaine. Comme les préposés gagnent 14 $ l'heure, nous avons dû assumer la différence. Nous nous sommes endettés, bien sûr, et Anne a été de plus en plus fatiguée.

Pendant longtemps, mon ex-conjointe a tout géré et m'a littéralement porté à bout de bras... Anne a formé du personnel qui ne s'est présenté bien souvent que durant quelques jours. Je suis un cas lourd, comme on dit, et plusieurs préposés ne résistent pas longtemps. Plus souvent qu'à son tour, Anne a pris la relève. Le lever, le coucher, la toilette du matin, m'habiller, me donner des médicaments... En épelant une lettre à la fois, elle a répondu à tous mes besoins. Impossible de me laisser seul trop longtemps. Par exemple, si mes lunettes tombent sur le bout de mon nez, je ne peux pas les remonter et si le feu se déclare dans la maison, malcommode pour moi de sortir !

En 2003, à bout de forces, nous avons décidé de fonder l'Organisme Benoît Duchesne pour venir en aide aux victimes du LIS ainsi qu'au soussigné. Ces personnes ont besoin de quelqu'un pour remplacer leurs bras, leurs jambes et leur voix. Autrement dit, elles requièrent la présence de quelqu'un à temps plein pour subvenir à leurs besoins.

Malheureusement, parce qu'elles nécessitent des soins constants, les victimes du LIS sont souvent placées en institution sur une base permanente. Or, les centres de soins de longue durée sont surtout occupés par des personnes âgées, ce qui ne correspond pas toujours aux besoins des victimes du syndrome de verrouillage.

Ainsi, nous avons mis sur pied différentes activités de financement. Il en coûte à une victime du LIS 100 000 $ annuellement pour continuer à vivre à domicile.

À long terme, je rêve d'offrir aux personnes souffrant du LIS un endroit où elles pourront aller en vacances sans accompagnement et pratiquer des activités stimulantes. Mon organisme aspire aussi à accorder du répit aux proches des malades qui, hélas, tombent trop souvent d'épuisement en jouant leur rôle d'aidants naturels.

http://www.obd.qc.ca
(450) 224-2863

TABLE DES MATIÈRES